# L'ESPRIT EN ÉVEIL

DU MÊME AUTEUR
CHEZ LE MÊME ÉDITEUR


*Sur la voie de l'Éveil*, 2007.
*Pratique de la sagesse*, 2006.
*Savoir pardonner*, 2005.
*Les Chemins de la félicité*, 2005.
*Le Pouvoir de la bonté*, 2004.
*Essence de la sagesse*, 2003.
*Les Voies spirituelles du bonheur*, 2002.
*Paix des âmes, paix des cœurs*, 2001.
*Préceptes de vie du dalaï-lama*, 2001.
*Conseils spirituels pour bouddhistes et chrétiens*, 1999.
*Le Yoga de la sagesse*, 1999.

# SA SAINTETÉ LE DALAÏ-LAMA

# L'ESPRIT EN ÉVEIL
## Conseils de sagesse aux hommes d'aujourd'hui

*Édité par Rajiv Mehrotra*

*traduit de l'anglais par Colette Joyeux*

PRESSES DU CHÂTELET

Ce livre a été publié sous le titre
*In My Own Words*
par Hay House, 2008.

www.pressesduchatelet.com

Si vous souhaitez recevoir notre catalogue
et être tenu au courant de nos publications,
envoyez vos nom et adresse, en citant ce
livre, aux Presses du Châtelet,
34, rue des Bourdonnais 75001 Paris.
Et, pour le Canada, à
Édipresse Inc., 945, avenue Beaumont,
Montréal, Québec, H3N 1W3.

ISBN 978-2-84592-275-4

*À tous les êtres doués de conscience*
*Aspirant comme nous à la libération*
*de toutes les souffrances,*
*Et aux grands maîtres de toutes les traditions,*
*Qui nous enseignent les moyens d'y accéder.*

# Introduction

La Fondation pour la responsabilité universelle de Sa Sainteté le dalaï-lama a l'honneur, le plaisir et le privilège de présenter dans cet ouvrage une brève introduction, fondée sur les propos de Sa Sainteté en personne, les idées, les enseignements et le message que le dalaï-lama adresse à notre monde si perturbé et meurtri.

Tenzin Gyatso est d'origine paysanne et se définit lui-même comme étant « un simple moine bouddhiste ». Il suscite l'admiration de millions de personnes à travers le monde pour sa lucidité sur la condition humaine, sur l'origine de nos souffrances et les voies susceptibles de nous mener tous au bonheur. Son discours est le fruit d'un engagement personnel profond et soutenu, ainsi que de son expérience de techniques et de pratiques spirituelles qui sont parmi les plus sophistiquées et les plus complexes que l'humanité ait connues au cours de son évolution.

Le dalaï-lama incarne aux yeux des bouddhistes du monde entier la quintessence même de leur foi, le sommet de l'aspiration humaine : il est pour eux un *bodhisattva,* celui qui choisit consciemment de naître sous forme humaine, au prix de l'inévitable souffrance liée à la vieillesse, à la maladie et à la mort, et ce dans le dessein d'enseigner et de servir l'humanité. Pour plus de six millions de Tibétains, en dépit des souffrances que la Chine continue à leur infliger, il représente l'espoir de voir un jour le Tibet devenir un pays où ils seront libres de faire revivre une antique civilisation qui fera la synthèse entre modernité et tradition, réalisant ainsi la vision d'avenir du dalaï-lama. Celui-ci, dans le droit fil des enseignements bouddhiques, poursuit ses efforts de démocratisation de la diaspora tibétaine en exil. Il a fréquemment affirmé que le problème du Tibet n'était pas celui de l'avenir du dalaï-lama lui-même, mais celui des droits et des libertés de tous les Tibétains résidant au Tibet et hors de ses frontières. La population en exil est aujourd'hui dotée d'un parlement, d'un Premier ministre et d'un système judiciaire autonomes. Le dalaï-lama insiste fréquemment sur sa volonté de se dégager de toute fonction d'ordre temporel dans la gestion de la cause tibétaine. Mais l'envergure exceptionnelle qui est la sienne et l'adhésion fervente de son peuple font de lui le pivot central de cette cause. Pour des millions d'hommes à travers le monde, il est simplement « Sa Sainteté », une silhouette devenue familière avec son visage toujours souriant et son message de compassion, d'altruisme et de paix.

Le dalaï-lama, comme tous les grands maîtres spirituels, incarne ce qu'il enseigne et met en pratique ce qu'il prêche. À soixante-dix ans passés, il suit fidèlement un programme de pratiques quotidiennes qui commence à 4 heures du matin et se poursuit plusieurs heures d'affilée. Il continue par ailleurs à recevoir des instructions et des initiations de la part d'autres lamas. Il n'a jamais fait état d'aucune manifestation spectaculaire pouvant être associés à une quelconque illumination supranaturelle. Bien que considéré et révéré comme un Bouddha vivant par ses disciples, il n'a aucune prétention de cet ordre. Comme le Bouddha, il n'est qu'un être humain « ordinaire », semblable à n'importe lequel d'entre nous. Grâce à la pratique des différents niveaux du sentier spirituel, nous pouvons tous trouver le bonheur et éviter la souffrance.

Il fait l'éloge de la diversité, reconnaissant l'unicité de chacun des habitants de cette planète, ainsi que les besoins, l'histoire et les perspectives propres à chaque individu. Il nous invite à tirer les leçons de sa vision lucide et de ses expériences, de même que l'on peut et doit apprendre de toutes les traditions. Mais il nous conseille aussi d'évoluer en fonction de nos propres itinéraires d'apprentissage. Le dalaï-lama nous incite à faire preuve du discernement le plus rigoureux à l'égard des maîtres spirituels et de leur enseignement, il nous invite à la plus grande prudence avant tout engagement auprès de qui que ce soit, et déconseille tout dilettantisme spirituel. Sur le chemin du bonheur et de l'éveil, il n'y a ni raccourcis, ni stages d'un week-end ou d'une semaine, ni cours accélérés. Le voyage et sa destination ne font qu'un, et le temps du parcours n'est autre que le présent sans cesse renouvelé.

La vision éclectique et globale du dalaï-lama l'a amené à se tourner plus largement vers le monde, et à aller bien au-delà de son engagement pour les droits du peuple tibétain ou de son statut de maître spirituel parmi les plus éminents de notre temps. Sa philosophie vise à rassembler, ce qui lui permet de toucher un large éventail d'individus et de groupes et de parvenir à un réel dialogue avec les diverses expressions de la foi. Elle l'amène à des discussions pointues avec des scientifiques, des hommes politiques, des intellectuels, des hommes d'affaires et des activistes – afin qu'allant au-delà du simple éloge consensuel de « l'unité dans la diversité » nous parvenions à une compréhension approfondie des moyens de vivre ensemble dans l'harmonie et dans la paix – avec nous-mêmes et nos semblables, avec la terre et l'univers.

Il est temps à présent d'entamer le voyage sur la route de l'Éveil en compagnie de l'un des plus grands maîtres spirituels et religieux de tous les temps.

# 1

## À PROPOS DU BONHEUR

Une grande question sous-tend de manière plus ou moins consciente l'expérience que nous faisons de la vie : quelle est au juste la finalité de l'existence ? Je me suis penché sur cette question et j'aimerais partager avec vous mes réflexions, dans l'espoir qu'elles puissent bénéficier de manière directe et pratique à ceux qui liront ces lignes.

Le but de la vie, j'en suis convaincu, n'est autre que le bonheur. Dès sa naissance, chaque être humain cherche à être heureux et à éviter la souffrance. Et ni le conditionnement, ni l'éducation, ni l'idéologie n'y peuvent rien changer. Du plus profond de notre être, nous aspirons tout simplement au contentement. J'ignore s'il existe ou non un sens profond à l'univers, avec ses myriades de galaxies, d'étoiles et de planètes. Mais il est clair, en revanche, que nous autres humains vivant sur cette terre avons une tâche à accomplir, qui est de nous construire une vie heureuse. D'où l'importance de découvrir ce qui va nous apporter le plus haut degré de bonheur.

Tout d'abord, on peut classer toutes les formes de bonheur et de souffrance en deux catégories principales, l'une physique, l'autre mentale. Or, de ces deux catégories, c'est celle de l'esprit qui exerce l'influence la plus forte sur la plupart d'entre nous. Sauf si nous sommes gravement malades ou privés du strict minimum, notre condition physique ne joue qu'un rôle accessoire dans la vie. Pour peu que les exigences de notre corps soient satisfaites, nous l'ignorons quasiment. Et pourtant, ce corps enregistre chaque événement, si minime soit-il. Voilà pourquoi nous devrions consacrer tous nos efforts à instaurer en nous la paix de l'esprit.

J'ai découvert par ma propre expérience, limitée, que le plus haut degré de sérénité intérieure naît du déploiement de l'amour et de la compassion. Plus nous nous soucions du bonheur des autres, plus notre sentiment de bien-être grandit. Le fait de cultiver une attitude de proximité chaleureuse envers autrui calme automatiquement l'esprit. Cela contribue à dissiper les peurs et les incertitudes qui peuvent nous troubler, et nous donne la force de faire face à d'éventuels obstacles. C'est la source suprême de succès dans la vie.

Aussi longtemps que nous vivrons dans ce monde, nous rencontrerons forcément des problèmes. Si dans ces moments-là nous perdons espoir et courage, nous réduisons d'autant nos capacités à faire face aux difficultés. Si, en revanche, nous gardons à l'esprit que nous ne sommes pas les seules victimes de cette souffrance, mais qu'elle est notre lot commun à tous, cette optique plus réaliste renforcera notre détermination et notre aptitude à surmonter les épreuves. Grâce à cette attitude, chaque nouvel obstacle peut être véritablement perçu comme une occasion supplémentaire autant que précieuse de faire progresser notre esprit ! Nous pouvons ainsi, par des efforts successifs, devenir peu à peu plus compatissants, autrement dit mettre en œuvre à la fois une réelle empathie vis-à-vis de la douleur des autres et une volonté d'abolir leurs souffrances, le résultat étant que notre propre sérénité et notre force intérieure en seront d'autant accrues.

### Notre besoin d'amour

En dernière analyse, la raison qui fait de l'amour et de la compassion la plus grande source de bonheur est simplement due au fait que, de par notre nature même, nous les chérissons plus que tout. Le besoin d'amour est le fondement même de la nature humaine. Il découle de l'interdépendance qui nous lie les uns aux autres. Si doué et si habile que soit un individu donné, il ne peut survivre seul. Si vigoureux et si indépendant que l'on puisse se sentir dans les périodes les plus prospères de la vie, si l'on est malade, ou si l'on est très jeune ou très vieux, on est forcément dépendant du soutien d'autrui.

Il va de soi que l'interdépendance est une loi fondamentale de la nature. Les formes de vie les plus élevées, tout comme tant d'insectes parmi les plus minuscules, font également partie de ces êtres sociaux qui, hors de toute notion de religion, de loi, d'éducation, survivent grâce à une coopération mutuelle fondée sur une reconnaissance instinctive de leur interconnexion. Les phénomènes matériels, à leur niveau le plus subtil, sont aussi gouvernés par l'interdépendance. En fait, tous les phénomènes, qu'ils concernent les océans, les nuages ou les forêts qui nous entourent, se manifestent en fonction de subtils schémas d'énergie. Faute d'une interaction réciproque, ces phénomènes se dissipent et disparaissent.

C'est parce que notre existence humaine dépend tellement de l'aide des autres que notre besoin d'amour est à la racine même de notre existence. Il nous faut donc faire preuve d'un vrai sens des responsabilités et d'une sincère préoccupation pour le bien-être d'autrui.

Nous devons prendre en compte ce que nous sommes réellement en tant qu'êtres humains. Nous ne sommes pas comparables à des objets manufacturés. Si nous n'étions que des entités mécaniques, dans ce cas des machines pourraient nous soulager de toutes nos souffrances et combler nos besoins. Mais puisque nous ne sommes pas des créatures exclusivement matérielles, compter sur le seul progrès extérieur pour exaucer nos espoirs de bonheur n'est qu'une idée fausse. Nous ferions mieux d'explorer nos origines et notre nature propre, afin de découvrir qui nous sommes et quels sont nos besoins.

Si l'on fait abstraction de cette question complexe de la création et de l'évolution de notre univers, nous sommes au moins d'accord sur un point, à savoir que chacun d'entre nous est le fruit de ses propres parents. En général, notre conception ne résulte pas simplement d'un contexte de désir sexuel, mais du choix délibéré de nos parents d'avoir un enfant. De telles décisions se fondent sur la responsabilité et l'altruisme – les parents s'engageant à s'occuper de leur enfant jusqu'à ce qu'il puisse être autonome. Ainsi, dès l'instant de notre conception, l'amour de nos parents est directement au cœur de notre création. En outre, nous sommes totalement dépendants des soins de notre mère dès les tout premiers stades de notre croissance. D'après certains scientifiques, l'état mental d'une femme enceinte, selon qu'elle est calme ou agitée, a un impact physiologique direct sur l'enfant à naître.

L'expression de l'amour a aussi une grande importance au moment de la naissance. Notre premier réflexe étant de téter le sein de notre mère, nous avons un sentiment naturel d'intimité avec elle, et il faut qu'elle fasse preuve d'amour envers nous pour pouvoir nous nourrir correctement ; si elle éprouve de la colère ou du ressentiment, cela peut entraver la montée de lait. Et puis il y a aussi cette période cruciale du développement du cerveau entre la naissance et l'âge de deux ou trois ans, période au cours de laquelle la tendresse du contact physique joue un rôle primordial et unique dans le développement normal de l'enfant. Si l'enfant n'est pas porté, serré dans les bras, câliné, aimé, son développement en pâtira, et la maturation de son cerveau ne se fera pas correctement.

À mesure que les enfants grandissent et sont scolarisés, ce sont les maîtres qui doivent répondre à leur besoin d'aide et de soutien. Si l'enseignant, non content de transmettre un savoir académique, assume aussi la responsabilité de préparer ses élèves à affronter la vie, ceux-ci éprouveront confiance et respect, et ce qu'on leur a enseigné laissera dans leur esprit une empreinte indélébile. *A contrario*, l'enseignement dispensé par un professeur qui ne se soucie pas vraiment du bien-être global de ses élèves ne restera pas longtemps en mémoire.

De nos jours, de nombreux enfants grandissent dans des familles d'où le bonheur est absent. S'ils sont privés de l'affection nécessaire, il est rare qu'ils aiment leurs parents par la suite, et ils auront assez fréquemment des difficultés à aimer les autres. Et c'est bien triste.

En définitive, étant donné qu'un enfant ne peut survivre sans l'attention des autres, l'amour est pour lui la nourriture la plus essentielle. Ce bonheur de l'enfance, cet apaisement des multiples peurs de l'enfant et le sain développement de sa confiance en lui-même dépendent directement de l'amour qu'il reçoit.

De même, si l'on est malade et qu'à l'hôpital, le médecin traitant rayonne de chaleur humaine, on se sent bien, et le désir même qu'a le médecin de dispenser les meilleurs soins possibles a un effet curatif, quelles que soient par ailleurs les compétences techniques du praticien. Si au contraire le médecin manque de chaleur humaine et fait preuve de froideur, d'impatience, de dédain ou d'un manque de considération, on sera angoissé, même si le soignant est hautement qualifié, le diagnostic correct et le traitement adéquat. Le retour définitif et stable à la santé dépend inévitablement, pour une part non négligeable, du ressenti du patient.

Même au cours d'une conversation banale, dans la vie de tous les jours, si notre interlocuteur est chaleureux, nous avons plaisir à l'écouter et à lui répondre, et la conversation prend naturellement de l'intérêt, même si le sujet est insignifiant. Alors que si l'on s'adresse à nous sur un ton dur et froid, cela nous met mal à l'aise et nous n'avons qu'un seul désir : couper court à la conversation. Dans les petites occasions comme dans les grandes, l'affection et le respect des autres sont d'une importance vitale pour notre bonheur.

J'ai rencontré récemment aux États-Unis un groupe de scientifiques qui ont mentionné le fait que le taux de maladies mentales dans leur pays était plutôt élevé – environ 12 % de la population. Au fil de notre conversation, il est apparu comme une évidence que la cause principale de la dépression n'était pas l'absence de confort matériel, mais les carences affectives. Ainsi donc, comme vous avez pu le lire sous ma plume et le constater vous-mêmes, dès le jour de notre naissance – et que nous en soyons conscients ou non –, le besoin d'amour est en nous comme le sang dans nos veines. Même si cette affection émane d'un animal ou de quelqu'un que l'on pourrait normalement considérer comme ennemi, tous, enfants comme adultes, sont instinctivement attirés vers elle.

Je crois que nul ne vient au monde exempt de ce besoin d'amour. Et cela prouve que, contrairement aux positions de certaines écoles de pensée modernes, les êtres humains ne peuvent se définir comme étant de nature purement physique. Nul objet matériel, si beau ou si précieux soit-il, ne peut nous donner le sentiment d'être aimé, car notre identité profonde et notre caractère réel résident dans la nature subjective de l'esprit.

## La compassion

À en croire certains de mes amis, l'amour et la compassion, en dépit de leurs merveilleux bienfaits, ne sont pas d'une grande utilité. Dans le monde où nous vivons, disent-ils, de telles croyances n'ont que peu d'influence ou de pouvoir. Selon eux, la colère et la haine sont si indissociables de la nature humaine qu'elles domineront toujours l'humanité. Je ne suis pas d'accord.

Nous autres humains existons sous notre forme actuelle depuis environ cent mille ans. Je crois que si, durant tout ce temps, l'esprit humain avait été principalement soumis à l'influence de la colère et de la haine, notre population globale aurait diminué. Or, aujourd'hui, on constate qu'en dépit de toutes nos guerres la population atteint des niveaux jamais égalés. Cela indique clairement à mes yeux que l'amour et la compassion prévalent dans le monde.

Et si les événements déplaisants font la une des journaux, c'est parce que les activités liées à la compassion sont tellement inscrites dans la vie quotidienne qu'elles sont considérées comme allant de soi, et passent donc quasiment inaperçues.

J'ai jusqu'ici parlé surtout des bénéfices d'ordre mental que peut apporter la compassion ; or elle contribue aussi à la bonne santé physique. D'après mon expérience personnelle, stabilité mentale et bien-être physique sont étroitement liés. Il est incontestable que la colère et l'agitation nous rendent plus vulnérables à la maladie. Alors qu'au contraire, si l'esprit est serein et occupé par des pensées positives, le corps ne se laissera pas facilement piéger par la maladie.

Mais, bien entendu, il est également exact que nous avons tous en nous un égocentrisme inné qui inhibe notre amour envers les autres. Donc, puisque nous désirons le vrai bonheur, qui ne peut naître que d'un esprit paisible, et puisque la paix de l'esprit ne peut naître que d'une attitude de compassion, comment pouvons-nous progresser en ce sens ? De toute évidence, il ne suffit pas de se dire : comme c'est beau, la compassion ! Nous devons faire des efforts concertés pour la développer, en mettant à profit tous les événements de notre vie quotidienne afin de transformer nos pensées et notre comportement.

Tout d'abord, nous devons avoir une notion très claire de ce que nous entendons par « compassion ». Le sentiment de compassion est parfois mêlé de désir et d'attachement. Par exemple, l'amour des parents envers leur enfant est souvent fortement lié à leurs propres besoins affectifs ; il n'est donc pas pleinement assimilable à la compassion. Dans le mariage aussi, l'amour entre les époux – surtout au début, où chacun des deux partenaires ne connaît pas forcément très bien le caractère profond de l'autre – relève plus de l'attachement que de l'amour authentique. Notre désir peut être si fort que celui ou celle à qui nous sommes attachés nous semble être quelqu'un de bien, alors qu'en fait, il – ou elle – est d'une nature très négative. De plus, nous avons tendance à exagérer des qualités qui, pour être positives, n'en sont pas moins mineures. Ainsi, lorsque l'attitude de l'un des partenaires change, l'autre est souvent déçu et change à son tour d'attitude. C'est signe que l'amour était plutôt motivé par un besoin personnel que par un souci authentique de l'autre.

La vraie compassion n'est pas une simple réponse émotionnelle, mais un engagement ferme fondé sur la raison. L'attitude d'authentique compassion envers les autres reste donc inchangée, même face à des comportements négatifs de leur part.

Évidemment, ce genre de compassion est loin d'être aisé à cultiver ! Tout d'abord, considérons les faits suivants : que les gens soient beaux et chaleureux, ou perturbateurs et sans charme, en fin de compte, ce sont des êtres humains, tout comme nous. Comme nous, ils cherchent le bonheur et n'ont pas envie de souffrir. En outre, ils ont le même droit que nous de vaincre la souffrance et d'être heureux. Donc, si vous reconnaissez que tous les êtres humains sont égaux dans leur désir de bonheur comme dans leur droit d'y accéder, vous ressentirez automatiquement à leur égard de l'empathie et un sentiment de proximité. En accoutumant votre esprit à cette notion d'altruisme universel, vous développez en vous un sentiment de responsabilité à l'égard des autres, et le désir de les aider activement à surmonter leurs problèmes. Ce souhait n'a rien de sélectif : il s'applique à tous de manière égale. Tant que nous avons affaire à des êtres humains faisant tout comme nous l'expérience du plaisir et de la douleur, il n'existe aucune raison logique de ne pas les traiter de manière égale, ou d'avoir envers eux des égards moindres s'ils se conduisent de façon négative.

Permettez-moi d'insister sur le fait qu'avec du temps et de la patience, il est en votre pouvoir de faire grandir en vous ce type de compassion. Bien sûr, notre égocentrisme, notre attachement marqué à ce sentiment d'un « je » indépendant et doté d'une existence propre ont pour effet principal d'inhiber notre compassion. En fait, on ne peut faire l'expérience de la vraie compassion qu'une fois éliminé ce mode d'appréhension de soi. Mais cela ne signifie pas que nous ne puissions pas faire les premiers pas et progresser dès maintenant.

## Premiers pas vers la compassion

Il faut en premier lieu éliminer les principaux obstacles à la compassion que sont la colère et la haine. Comme nous le savons tous, ce sont des émotions extrêmement puissantes, capables de submerger totalement notre esprit. On peut pourtant les contrôler. Dans le cas contraire, ces émotions négatives ne cesseront de nous tourmenter – le plus naturellement du monde ! – et entraveront notre recherche de ce bonheur, qui est le propre de l'esprit aimant.

Il n'est donc pas inutile, dans un premier temps, de se demander si la colère a la moindre valeur. Parfois, lorsque nous sommes découragés face à une situation difficile, la colère semble effectivement salutaire et porteuse d'un regain d'énergie, de confiance et de détermination. Pourtant, il convient ici d'examiner avec soin notre état mental. S'il est effectivement exact que la colère nous apporte un surplus d'énergie, il suffit d'en explorer la nature pour nous apercevoir qu'il s'agit d'une énergie aveugle, et nous ne pouvons pas savoir avec certitude si les effets en seront positifs ou négatifs. Car la colère étouffe ce que notre cerveau a de meilleur – sa capacité de raisonnement. L'énergie de la colère n'est donc pratiquement jamais fiable. Elle peut mener à des conduites des plus malencontreuses et destructrices. De plus, si la colère enfle à l'extrême, on devient comme fou, au point de commettre des actes aussi préjudiciables à soi-même qu'à autrui.

Il est cependant possible de mettre en œuvre une énergie tout aussi puissante mais beaucoup plus contrôlée, permettant de faire face aux situations difficiles. Cette énergie contrôlée n'est pas seulement le fruit d'une attitude de compassion, mais aussi celui de la raison et de la patience. Ce sont là les antidotes les plus puissants contre la colère. Malheureusement, de nombreuses personnes mésestiment ces qualités, qu'ils prennent pour des signes de faiblesse. À mon avis, c'est l'inverse qui est vrai : ce sont les signes véritables de la force intérieure. La compassion est par nature aimable, paisible et douce, mais elle a une grande force. Ceux qui perdent facilement patience sont justement des gens instables et manquant d'assurance. À mes yeux, tout accès de colère est un signe notoire de faiblesse.

Lorsqu'un problème surgit, sachez donc rester humble, gardez une attitude sincère, et veillez à ce que la solution apportée soit équitable. Bien sûr, d'autres peuvent essayer de vous manipuler, et si votre attitude détachée ne fait qu'alimenter une agressivité injuste à votre égard, restez ferme sur vos positions. Tout cela doit se faire avec compassion, et s'il s'avère nécessaire d'exprimer votre point de vue et d'adopter des contre-mesures vigoureuses, faites-le sans colère ni mauvaise intention.

Vous devez réaliser que même si vos adversaires vous nuisent en apparence, en fin de compte leur activité destructrice ne nuira qu'à eux-mêmes. Pour contrecarrer votre propre impulsion égoïste à rendre coup pour coup, vous devez garder à l'esprit votre désir de pratiquer la compassion, et prendre, en toute responsabilité, les mesures nécessaires pour que l'autre ne souffre pas des conséquences de ses actes. Ainsi, les mesures auxquelles vous recourrez ayant été calmement choisies, elles seront d'autant plus efficaces, adéquates et énergiques. La loi du talion fondée sur l'énergie aveugle de la colère n'atteint que rarement sa cible.

### Amis et ennemis

Je dois insister une fois de plus sur le fait qu'il ne suffit pas de tenir la compassion et la raison en haute estime pour pouvoir les mettre en œuvre. Il faut attendre que surgissent les difficultés pour nous efforcer alors de les mettre en pratique. Et qui nous offre de telles occasions ? Pas nos amis, bien sûr, mais nos ennemis ! Ce sont eux qui nous créent le plus de problèmes. Donc, si nous sommes vraiment désireux d'apprendre, nous devrions considérer nos ennemis comme étant nos meilleurs maîtres ! Pour celui qui chérit la compassion et l'amour, la pratique de la tolérance est essentielle, et pour cela la présence d'un ennemi est indispensable. Nous devrions donc être reconnaissants envers nos ennemis, car nous leur sommes redevables de nos progrès sur la voie de la sérénité de l'esprit ! Signalons aussi qu'il arrive souvent, dans la vie privée comme dans la vie publique, qu'à la faveur d'un changement de contexte les ennemis se transforment en amis...

La colère et la haine sont donc toujours nocives, et à moins d'entraîner notre esprit à en mater la force négative, elles continueront à nous perturber et à entraver nos efforts sur le chemin de la sérénité de l'esprit. Colère et haine sont nos véritables ennemis. Ce sont ces forces-là qu'il nous faut avant tout affronter et vaincre, et non les « ennemis » éphémères qui surgissent par intermittence tout au long de notre vie.

Bien entendu, le désir d'avoir des amis est naturel et justifié. Je dis souvent en plaisantant que, si l'on veut être vraiment égoïste, il suffit d'être très altruiste ! Oui, il faut prendre soin des autres, se soucier de leur bien-être, les aider, les servir, se faire toujours plus d'amis, sourire toujours plus. Le résultat de tout cela ? Quand à votre tour vous avez besoin d'aide, il y a foule de volontaires ! Si, au contraire, vous négligez le bonheur des autres, en fin de compte, vous serez perdant. D'ailleurs, l'amitié prend-elle source dans les querelles et la colère, dans la jalousie et l'esprit de compétition féroce ? Je ne crois pas. Seule l'affection nous apporte des amis proches et authentiques.

Dans la société matérialiste d'aujourd'hui, si vous avez l'argent et le pouvoir, vous avez de nombreux amis, du moins en apparence. Ce ne sont pas vos amis, mais plutôt les amis de votre argent et de votre pouvoir. Quand vous perdez vos richesses et votre influence, vous vous apercevez qu'ils deviennent soudain insaisissables...

L'ennui, c'est que lorsque tout va bien pour nous, nous sommes sûrs de pouvoir nous débrouiller tout seuls et nous avons l'impression de ne pas avoir besoin d'amis, mais, à mesure que déclinent notre influence sociale et notre santé, nous réalisons très vite notre erreur. C'est dans ces moments-là que nous découvrons qui est vraiment utile et qui n'est d'aucune utilité. Donc, pour se préparer à ce moment, pour nous faire de vrais amis qui nous aideront si besoin est, nous devons cultiver nous-mêmes l'altruisme !

Certains rient parfois à m'entendre dire que je suis toujours en quête de nouveaux amis – et c'est pourtant le cas. J'adore les sourires, ce qui me crée un problème : comment se faire de nouveaux amis et attirer toujours plus de sourires, mais surtout des sourires qui soient sincères ? Car il y a toutes sortes de sourires – ironiques, artificiels, diplomatiques. Nombre de sourires n'apportent aucun sentiment de satisfaction, et ils peuvent même parfois susciter la peur ou la suspicion, n'est-il pas vrai ? Mais un vrai sourire nous donne une réelle sensation de fraîcheur, et c'est, je le crois, quelque chose d'unique qui n'appartient qu'aux hommes. Si c'est ce genre de sourires que nous attendons, dans ce cas c'est à nous de créer les conditions propres à les faire éclore.

## La compassion et le monde

En conclusion, j'aimerais élargir en quelques mots ma réflexion au-delà du thème de ce court essai pour aborder une notion plus vaste : le bonheur individuel peut contribuer d'une manière profonde et efficace à l'amélioration générale de toute notre communauté humaine.

Puisque nous avons tous en commun ce même besoin d'amour, il est possible de voir en quiconque un frère ou une sœur, quelles que soient les circonstances de notre rencontre. Peu importe l'aspect inédit pour nous du visage, des vêtements ou du comportement : entre nous et les autres, il n'existe aucune division significative. S'appesantir sur les différences extérieures n'a pas de sens, car fondamentalement nous sommes tous identiques.

En dernière analyse, l'humanité est une, et cette petite planète est notre unique demeure. Si nous voulons la protéger, chacun d'entre nous doit passer par l'expérience d'un sentiment vivace et universel d'altruisme. Car lui seul peut éradiquer les motivations égoïstes qui poussent les êtres à se tromper et à se maltraiter les uns les autres. Si vous avez un cœur sincère et ouvert, vous avez naturellement confiance en vous et naturellement conscience de votre propre valeur – et, dans ce cas, il ne rime à rien d'avoir peur des autres.

Je suis persuadé qu'à tous les niveaux de la société – que ce soit familial, tribal, national ou international –, c'est le rayonnement de la compassion qui est la clé d'un monde plus heureux et plus prospère. Nous n'avons nul besoin d'adhérer à une religion, d'accorder foi à une idéologie. Le seul impératif pour chacun d'entre nous est de développer ce qu'il y a en nous de meilleur et de plus humain.

J'essaie de traiter comme de vieux amis tous ceux que je rencontre quels qu'ils soient. Cela me procure un réel sentiment de bonheur. Voilà en quoi consiste la pratique de la compassion.

# 2

## QU'EST-CE QUE LE BOUDDHISME ?

Pratiquer le bouddhisme, c'est s'engager dans le combat qui oppose dans notre esprit les forces négatives aux forces positives. Le méditant cherche à saper le négatif en lui, et à développer et faire croître le positif.

Il n'existe pas de repères matériels permettant de mesurer les progrès accomplis dans ce combat entre les forces positives et négatives à l'œuvre dans notre conscience. Des changements s'amorcent dès que l'on commence à identifier et à reconnaître le caractère illusoire de certaines attitudes, comme la colère et la jalousie. Il importe alors de connaître les antidotes à la colère, et ce savoir s'acquiert grâce à l'écoute des enseignements. Il n'existe aucun moyen simple de se défaire de ces formes d'illusion. L'éradication immédiate, de type chirurgical, est exclue. Il faut savoir reconnaître ces formes d'illusion et ensuite, grâce à la mise en pratique des enseignements, on peut les réduire peu à peu jusqu'à leur élimination complète.

Ces enseignements nous offrent un moyen de nous libérer de toute illusion – c'est un chemin qui nous amène en fin de compte à être délivré de la souffrance et à connaître la béatitude de l'éveil. Plus nous progressons dans la compréhension du *dharma,* ou des enseignements bouddhiques, moins forte sera l'emprise de l'orgueil, de la haine, de la cupidité et autres émotions négatives, source de tant de souffrances. Grâce à l'application de cet entendement à notre vie quotidienne, au fil des mois et des années, notre esprit subira une transformation progressive car, en dépit des apparences, l'esprit est accessible au changement. Si vous parvenez à faire la comparaison entre votre esprit tel qu'il est actuellement et tel qu'il sera après la lecture de ce livre, il se peut que vous constatiez quelque progrès. Dans ce cas, ces enseignements auront atteint leur but.

Le mot *dharma* signifie en sanskrit « ce qui tient, maintient, contient ou retient ». Toutes les formes de vie sont des dharmas, des phénomènes, en ce sens qu'elles contiennent, qu'elles portent en elles leur identité ou leur caractère propre. De même, une religion est un dharma, au sens où, en retenant les gens, en les contenant, elle les protège des catastrophes. Dharma s'applique ici à cette dernière définition. En termes simples, toute action d'ordre élevé s'exprimant par le corps, la parole ou l'esprit est considérée comme une forme de dharma, car une telle action agit comme une digue protectrice contre toutes sortes de désastres. La pratique de ce type d'actions est l'essence même du dharma.

## Le Bouddha

Le Bouddha Shakyamuni naquit, voilà plus de deux mille ans en Inde, où il s'incarna sous la forme d'un prince. Dès son plus jeune âge, il fit preuve d'une grande maturité en matière de savoir et de compassion. Il sut voir que, par nature, nous sommes tous attirés par le bonheur et hostiles à la douleur. La souffrance ne vient pas toujours de l'extérieur. Elle n'est pas seulement liée à des problèmes tels que la famine et la sécheresse. Si tel était le cas, nous pourrions nous protéger de la souffrance, en faisant des réserves de nourriture par exemple. Mais des souffrances comme la maladie, la vieillesse et la mort sont intrinsèquement liées à la nature même de notre existence, et nous ne pouvons pas les surmonter en modifiant les conditions extérieures. De plus, nous avons en nous cet esprit insoumis, capable de créer toutes sortes de problèmes. Il est la proie de pensées négatives, comme le doute et la colère. Tant que notre esprit sera assailli par ces hordes de pensées négatives, nous aurons beau être douillettement vêtus, et nourris de mets délicieux, cela ne résoudra pas nos problèmes.

Mû par la compassion envers tous les êtres sensibles, le Bouddha Shakyamuni observait tous ces problèmes, et réfléchissait sur la nature de sa propre existence. Il découvrit que tous les hommes étaient soumis à la souffrance et vit que cette absence de bonheur dont nous faisons la triste expérience était due à l'état d'indiscipline de notre esprit. Il vit aussi que l'agitation de notre esprit est telle que nous n'arrivons même plus à dormir la nuit. Face à ces dilemmes, il eut la sagesse de soulever la question de l'existence possible d'une méthode qui permettrait de surmonter ces problèmes.

Il décida que cette vie princière dans l'enceinte d'un palais n'était pas le moyen d'éliminer la souffrance. C'était même plutôt un obstacle. Il renonça donc à tous les attraits du palais, y compris ceux de la compagnie de sa femme et de son fils, et s'embarqua dans la vie d'un homme sans attaches et sans toit. Au fil de sa quête, il consulta de nombreux maîtres et écouta leurs instructions. Il constata que leurs enseignements, bien que non dénués d'intérêt, n'apportaient aucune solution définitive au problème de l'éradication de la souffrance. Il se plia pendant six ans à l'ascétisme le plus strict. Grâce à ce renoncement à tout ce dont il avait joui en qualité de prince, et grâce à cette pratique ascétique stricte dans laquelle il s'était engagé, il parvint à renforcer sa perception méditative. Assis sous le *bodhi* – le figuier sacré –, il finit par vaincre les forces contraires et par atteindre l'éveil. Par la suite, il se mit à enseigner, à exposer les rouages d'une doctrine fondée sur sa propre expérience et sa propre réalisation.

Lorsque nous parlons du Bouddha, nous ne parlons pas d'un être doté dès l'origine de toutes les qualités associées à ce nom. Au début, il était exactement comme nous. C'était un être humain ordinaire, qui a connu les mêmes souffrances que nous tous : la naissance, la vieillesse, la maladie et la mort. Il avait des pensées, des sentiments divers, des peines et des joies, tout comme nous. Mais sa pratique spirituelle vigoureuse et intégrée l'a rendu capable de gravir les différents niveaux du chemin spirituel pour atteindre l'éveil.

Parfois, quand je réfléchis à la vie du Bouddha Shakyamuni, j'ai un sentiment de malaise. Bien que son enseignement puisse être interprété à plusieurs niveaux, il est évident, d'après les témoignages historiques, qu'il s'est astreint à six années de dure pratique. Cela montre qu'on ne peut transformer son esprit en se contentant de dormir, de se relaxer et de profiter de toutes les douceurs de la vie. Cela nous montre que c'est seulement au prix d'un dur labeur et de longues épreuves que nous serons en mesure d'atteindre l'éveil. Il n'est pas facile de franchir tous les niveaux spirituels et d'accéder à toutes les réalisations de cet ordre en un bref délai, sans faire le moindre effort. Le Bouddha lui-même, initiateur de l'enseignement que nous suivons, a dû passer par de telles épreuves. Comment pouvons-nous, dans ce cas, prétendre atteindre des sommets de spiritualité et accéder à l'éveil en nous contentant de certaines prétendues pratiques et en prenant du bon temps à nous relaxer ? Si nous lisons l'histoire des grands maîtres spirituels du passé, nous constatons qu'ils n'ont atteint l'éveil spirituel qu'au prix d'une expérience assidue de la méditation, de la solitude et de la pratique. Ils n'ont pris aucun raccourci.

La racine de la souffrance est l'ignorance, autrement dit une fausse conception de ce que nous sommes. Les myriades de souffrances que nous rencontrons viennent de cette fausse vision, de cette compréhension erronée. Donc, lorsqu'on dit que c'est par compassion que le Bouddha a rejeté toutes les idées fausses, cela signifie qu'il a eu la compassion de travailler au bénéfice de tous les êtres sensibles. C'est parce qu'il se souciait d'eux qu'il leur a communiqué divers niveaux d'enseignement qui sont exempts de notions erronées et de pensées négatives. Il en résulte que ceux qui suivent ces enseignements, en comprenant cette juste vision et en la mettant en pratique, seront capables d'éliminer la souffrance. Nous rendons hommage au Bouddha Shakyamuni pour les enseignements sublimes qu'il nous a offerts.

Le principal motif ayant poussé le Bouddha à développer toutes ses immenses qualités d'esprit, de parole et de corps était la compassion. Notre pratique devrait elle aussi avoir pour essence la volonté d'aider les autres. Cet élan altruiste est naturellement présent dans nos cœurs quand nous reconnaissons que les autres sont semblables à nous dans leur volonté d'être heureux et d'échapper à la souffrance. C'est comme une graine que nous pouvons protéger et aider à croître grâce à la pratique. Tous les enseignements du Bouddha visent essentiellement à développer cette bonté de cœur et cet esprit d'altruisme. La voie du Bouddha se fonde sur la compassion, le souhait de voir autrui délivré de toute souffrance. Cela nous amène à comprendre que le bien-être des autres est en définitive plus important que le nôtre, car, sans eux, nous serions privés de pratique spirituelle et de toute possibilité d'éveil. Je ne prétends pas être détenteur d'un grand savoir ni d'un haut degré de réalisation, mais c'est avec le souvenir de la bonté de mes maîtres, qui m'ont donné ces instructions, et c'est avec le souci du bien-être de tous les êtres que je vous offre ces enseignements.

### Le dharma au Tibet

Cette vie humaine si précieuse, dans la peau d'un être humain libre et heureux, ne nous est donnée qu'une seule fois. Même si nous avons déjà vécu dans le passé d'innombrables vies, nous n'avons jusqu'ici jamais été à même de faire bon usage de cette inestimable existence humaine. Aujourd'hui, nous avons le privilège de jouir d'une vie dans laquelle nos facultés physiques et mentales sont intactes, et nous accordons quelque intérêt à la pratique du dharma. Une telle vie est unique, de même que le dharma auquel nous avons accès est unique. Originellement apparu en Inde avec le Bouddha, il fut par la suite transmis par une succession de grands maîtres indiens. Il a peu à peu prospéré au Tibet, et cette tradition de pratique bouddhique est encore très vivante. Au Tibet, ce toit du monde, nous avons préservé tout l'éventail des pratiques et des enseignements du Bouddha. Il est donc extrêmement important aujourd'hui que, d'un commun effort, nous nous en servions pour réaliser ce qu'il y a de mieux dans les projets que nous-mêmes, et tous les autres êtres sensibles, portons en nous.

Le bouddhisme n'atteignit le Tibet qu'au vIIIᵉ siècle et, au IXᵉ siècle, sa pratique fut interdite par le roi Langdarma. Il ferma – comme l'ont fait les Chinois de nos jours – les monastères qui étaient jusque-là les principaux centres d'enseignement. Malgré l'éradication massive entamée par Langdarma, la pratique du bouddhisme persista dans les régions les plus reculées, et la tradition fut préservée. Au XIᵉ siècle, l'existence de deux approches de la pratique et des enseignements créa la confusion. Il y avait d'une part le *sutra,* c'est-à-dire la voie de l'étude et de la pratique, par laquelle, à l'issue de nombreuses existences, l'éveil peut être atteint, et d'autre part le *tantra,* qui est un ensemble de pratiques secrètes permettant d'atteindre l'éveil, éventuellement au cours d'une seule existence. Au XIᵉ siècle, un moine indien du nom d'Atisha devint célèbre pour son habileté à expliquer les enseignements du Bouddha et à les défendre dans des débats avec des philosophes non bouddhistes. Il sut unifier les diverses tendances philosophiques bouddhiques qui s'étaient développées au fil des siècles, ainsi que les systèmes de pratique laïques et monastiques. Toutes les écoles philosophiques reconnurent en lui un maître dénué de sectarisme et faisant autorité.

Il existe au sein du bouddhisme tibétain quatre écoles ayant pour nom *nyingma, sakya, geluk* et *kagyu.* Prétendre que l'une d'elles est supérieure aux autres est une grave erreur. Elles ont un seul et même maître – le Bouddha Shakyamuni – et elles ont toutes emprunté aux deux systèmes du sutra et du tantra. J'essaie de cultiver une foi et une admiration égales envers ces quatre écoles, et ce n'est pas par diplomatie, mais sur la base d'une conviction profonde. Il m'incombe aussi dans mes fonctions de dalaï-lama d'avoir une connaissance suffisante des enseignements propres aux quatre écoles pour pouvoir conseiller utilement ceux qui viennent me trouver. S'il en allait autrement, je serais comme une mère impuissante, parce qu'elle n'a pas de bras, à sauver son enfant qui se noie sous ses yeux. Un jour, un méditant de l'école nyingma vint me trouver, et me posa des questions sur une certaine pratique que je connaissais mal. Je fus en mesure de l'adresser à un grand maître qui sut répondre à ses questions, mais le fait que cet homme soit venu vers moi en quête sincère d'un enseignement et que je n'aie pas pu répondre à sa demande m'a beaucoup attristé. Si la demande d'autrui dépasse nos capacités, à l'impossible nul n'est tenu, mais tant que la demande reste dans la mesure de nos moyens, il est très important de répondre aux besoins spirituels du plus grand nombre d'êtres doués de conscience. Nous devons étudier tous les aspects des enseignements et cultiver toute notre admiration à leur égard.

Il ne faut pas non plus considérer le bouddhisme tibétain comme étant supérieur aux autres formes de bouddhisme. En Thaïlande, en Birmanie et au Sri Lanka, les moines se consacrent de façon authentique à l'observance de la discipline monastique et, contrairement aux moines tibétains, ils perpétuent la coutume de mendier leur nourriture, pratiquée il y a deux mille cinq cents ans par le Bouddha et ses disciples. En Thaïlande, j'ai accompagné un groupe de moines dans leur tournée mendiante, par une chaude journée ensoleillée ; la tradition étant de marcher pieds nus, j'avais les pieds en feu ! Néanmoins, le spectacle de ces moines thaïs dans leur pratique quotidienne fut une vraie source d'inspiration.

De nos jours, nombreux sont ceux qui considèrent de façon purement négative la pratique d'une tradition spirituelle ou d'une religion. Ils se polarisent sur la façon dont les institutions religieuses exploitent les masses et s'approprient leurs biens. Pourtant, ces actes répréhensibles ne sont pas imputables aux traditions elles-mêmes, mais à ceux qui s'en réclament, comme certains membres de monastères ou d'églises qui, sous prétexte de spiritualité, s'enrichissent aux dépens des autres fidèles. En matière de spiritualité, si les spécialistes eux-mêmes font preuve de légèreté, cela se répercute sur tous ceux qui sont impliqués dans cette pratique. Les démarches visant à corriger des abus devenus règle établie sont souvent interprétées à tort comme une attaque contre les traditions dans leur ensemble. Beaucoup en viennent à la conclusion que la religion est nuisible et inapte à les aider. Ils rejettent toute forme de foi. D'autres sont totalement indifférents à la pratique spirituelle et se contentent de leur mode de vie profane. Ils jouissent du confort physique et matériel, et ne sont ni pour ni contre la religion. Et pourtant, ils sont tous égaux au sens où tous, d'instinct, aspirent au bonheur et fuient la souffrance.

Dans la pratique bouddhique, au lieu d'éviter ces souffrances, nous les visualisons délibérément : souffrance de la naissance, souffrance du vieillissement, souffrance de l'incertitude sociale, souffrance des aléas de la vie, et souffrance de la mort. Nous nous efforçons d'y penser délibérément, de sorte que, lorsque nous les affrontons pour de bon, nous y soyons préparés. Quand nous serons face à la mort, nous réaliserons que notre heure est venue. Cela ne signifie pas qu'il faille négliger notre corps. Quand nous sommes malades, nous prenons des remèdes et nous essayons d'éviter la mort. Mais si elle s'avère inévitable, alors le bouddhiste sera prêt à y faire face. Laissons de côté pour l'instant la question d'une vie après la mort, et celle de la libération ou de l'état omniscient. Même de notre vivant, le fait de penser au dharma et de croire au dharma a des effets bénéfiques concrets. Au Tibet, malgré la destruction et la torture systématiques infligées par les Chinois, les gens n'ont encore perdu ni leur espoir ni leur détermination. Je crois que c'est grâce à la tradition bouddhiste.

Bien que la destruction du bouddhisme n'ait pas duré aussi longtemps sous la domination chinoise que sous le règne de Langdarma au XIᵉ siècle, l'étendue des dégâts est aujourd'hui beaucoup plus grande. Lorsque Langdarma anéantit le dharma, Atisha vint au Tibet et restaura intégralement la pratique du bouddhisme. Aujourd'hui, quelles que soient nos capacités, c'est à nous tous qu'incombe la responsabilité de restaurer ce qui a été systématiquement détruit par les Chinois. Le bouddhisme est un trésor destiné au monde entier. L'enseignement et l'écoute de cet enseignement sont une contribution à la richesse de l'humanité. Même si, pour le moment, de nombreux points vous paraissent hors d'atteinte, gardez-les dans votre cœur, afin de pouvoir les mettre en pratique l'an prochain, ou dans cinq ou dix ans, peu importe, pourvu que les enseignements ne soient pas oubliés.

Malgré le traumatisme tragique que représente la perte de notre pays, nous, les Tibétains exilés, ne rencontrons généralement pas d'obstacles dans la pratique du dharma. Quel que soit notre pays d'accueil, nous avons accès aux enseignements du Bouddha par l'intermédiaire des maîtres en exil, et nous savons créer les conditions favorables à la méditation, comme l'ont fait les Tibétains depuis le VIIIᵉ siècle au moins. Mais ceux qui sont restés au Tibet après l'invasion chinoise de 1959 ont eu à subir d'immenses souffrances physiques et mentales. Les monastères ont été vidés de leurs occupants, les grands maîtres, jetés en prison, et la pratique du bouddhisme, sanctionnée par des peines d'emprisonnement, voire de mort.

Nous devons mettre à profit toutes les occasions de pratiquer la vérité, de nous améliorer, au lieu d'attendre le moment où nous serons, croyons-nous, moins occupés. Les activités de ce monde sont comme les rides sur l'eau : l'une chasse l'autre, à l'infini. Les activités profanes ne cessent qu'à l'heure de la mort ; nous devrions donc essayer de trouver du temps, dans le cadre de notre vie de tous les jours, pour pratiquer le dharma. Si, en ce moment crucial où nous avons à la fois le privilège de vivre sous cette précieuse forme humaine, d'avoir rencontré le dharma et d'avoir foi en lui, nous ne sommes pas capables de le mettre en pratique, il nous sera difficile d'entreprendre cette pratique dans nos vies ultérieures, où nous ne bénéficierons pas de telles conditions. Mais, dès lors que nous avons eu connaissance d'un système d'une telle profondeur spirituelle, donnant libre accès à l'intégralité de la méthode qui mène à la réalisation de l'état d'éveil, il serait très triste de ne pas essayer d'ouvrir notre vie à l'influence du dharma.

# 3

## LES ENSEIGNEMENTS FONDAMENTAUX DU BOUDDHISME

Il y a deux mille cinq cents ans, le Bouddha sortit de sa méditation après avoir atteint l'éveil. Le sujet de son premier enseignement fut celui des quatre « nobles vérités ». La première est la vérité de la souffrance, le fait que notre bonheur soit toujours éphémère. Tout ce que nous possédons est soumis à l'impermanence. Rien de ce que nous considérons généralement comme étant réel n'est permanent. L'ignorance, l'attachement et la colère sont la cause de notre impitoyable souffrance. La deuxième noble vérité consiste à comprendre l'origine de cette souffrance. Lorsqu'on fait disparaître la racine de la souffrance – les illusions –, on parvient à un état de cessation de la souffrance qui n'est autre que la troisième noble vérité, ou nirvâna. La quatrième noble vérité est celle de l'existence d'une voie menant à cette absence de souffrance. Pour atteindre cet état au sein même de l'esprit, il nous faut suivre un chemin.

Pour bien comprendre ces quatre vérités, il faut d'abord reconnaître qu'elles sont ancrées dans deux autres vérités, à savoir la vérité relative et la vérité absolue. Au niveau de la vérité relative, on fait une distinction entre ceci et cela, entre moi et l'autre, chacun des deux facteurs semblant jouir d'une existence individuelle autonome. Mais du point de vue de la vérité absolue, il s'avère que chaque objet, chaque être n'existe que dans une étroite dépendance par rapport à toutes les autres entités existantes.

Percevoir cela, c'est comprendre le mode ultime de l'existence, autrement dit l'absence totale d'existence autonome, ou intrinsèquement distincte, d'aucun objet au monde. Cette nature ultime des phénomènes se nomme vacuité, et ces deux concepts distincts sont connus sous les termes de « mode conventionnel » et « mode ultime des phénomènes ». Si l'on saisit bien ces deux vérités quant à la nature des phénomènes, on se rend compte que ceux-ci se manifestent en fonction de conditions dont ils dépendent, mais qu'ils ne sont dotés d'aucune existence indépendante qui leur soit propre. Lorsque certaines conditions sont réunies, les phénomènes se manifestent ; si les conditions requises ne sont pas réunies, ou si elles prennent fin, alors les phénomènes n'existent pas. Tel est donc le processus d'apparition et de disparition des phénomènes.

L'explication des quatre nobles vérités que je vais développer ne se rapportera pas au contexte d'un cas individuel, mais à celui de l'ensemble de l'humanité ou de la communauté humaine, de cette société humaine qui est la nôtre.

Prenons donc tout d'abord la première vérité, celle de la souffrance. Il existe tout un éventail de souffrances, mais, de nos jours, la plus effroyable, la plus grave de toutes est la guerre. La situation du monde est telle que c'est non seulement la vie de chaque individu qui est menacée, mais bien celle de la population de toute la planète.

En poursuivant notre recherche des causes de la souffrance, on s'aperçoit que celle-ci a sa source dans l'esprit, plus particulièrement dans des facteurs d'altération mentale tels que l'attachement et la colère, ou encore cet autre mal lié à la colère qu'est la jalousie. La colère et la haine, entre autres travers, sont la véritable source de la souffrance. Bien sûr, les armes extérieures existent aussi, mais elles ne sont pas en elles-mêmes la source du problème, car, pour les actionner, il faut que la main de l'homme intervienne. Ces armes ne peuvent pas fonctionner toutes seules, et pour que des hommes y aient recours, il doit forcément y avoir un motif. Ce motif, c'est principalement la haine et l'attachement – mais la haine surtout, qui plonge l'esprit dans un état de violence. Il nous suffit d'avoir le bonheur, le contentement ou la tranquillité pour avoir la paix intérieure. Mais si l'on n'a pas cette paix intérieure, cette paix de l'esprit, comment la paix extérieure serait-elle possible ? Larguer des bombes atomiques sur la tête des gens ne servira à rien : l'instauration de la paix ne peut passer que par l'esprit. Pour éradiquer les défauts de l'esprit, les armes extérieures ne sont d'aucune utilité. La seule voie possible passe par la volonté de contrôler son propre esprit.

Venons-en à présent à la vérité de la cessation de la souffrance. Il est évident que la cessation d'altérations mentales telles que la colère et la jalousie (dont l'éradication ultime est possible) est une perspective d'avenir souhaitable. Ce qu'on peut faire dans l'immédiat, c'est essayer d'avoir une perspective d'avenir. Pouvoir comprendre clairement l'avenir probable qui nous attend nous permettrait certainement de mettre un frein à des dérives mentales telles que la colère. Pour réduire effectivement l'ampleur de ce sentiment négatif, il faudrait éviter les conditions qui nous y conduisent, comme l'orgueil et la jalousie. Nous devons tâcher d'y renoncer, et nous habituer d'autre part à des états d'esprit incompatibles avec la jalousie et l'orgueil. L'impact de ces dérives de l'esprit peut être amoindri : c'est un fait vérifiable.

La compassion est la racine même de cette vérité du chemin qui mène à la disparition de la souffrance. Cette voie implique de mettre en avant l'esprit de bonté, l'ouverture de cœur, c'est-à-dire d'avoir pour motivation principale le service et l'intérêt d'autrui. Pour cultiver la compassion, il faut réduire les effets des divisions au sein de l'humanité, telles que celles qui existent entre races, cultures ou apparences, de même qu'entre des traditions philosophiques divergentes. Si l'on fait abstraction de ces classifications, on prend pleinement conscience du fait que les êtres humains ont un grand trait commun : que l'on soit oriental ou occidental, croyant ou non-croyant, nous sommes tous des êtres humains, c'est-à-dire des êtres de la même espèce. Cette reconnaissance des faits donnera lieu à un authentique sentiment de fraternité, à un amour réciproque, à un plus grand souci de l'autre, et à moins d'égoïsme. Ces choses-là sont essentielles. Ce genre d'effort est certes difficile, mais cela en vaut la peine.

Le Vénéré (Bouddha) a dit : « Telles sont les vraies souffrances, les vraies sources, les vraies cessations, les vraies voies. Il faut connaître les souffrances, renoncer à leurs sources, parvenir à leur cessation et cultiver les voies. La souffrance doit être connue, et il n'y aura plus après cela de souffrance à connaître. Ce qui est à sa source doit être abandonné, et il n'y aura plus après cela de sources à abandonner. La cessation des souffrances doit être mise en œuvre, ainsi il n'y aura plus après cela de cessations à mettre en œuvre. Les voies doivent être cultivées, et il n'y aura plus après cela de voies à cultiver. » Telles sont les quatre nobles vérités, exposées en fonction de leur nature, des actions requises à leur mise en œuvre et des effets induits par ces actions.

## Les huit préceptes de la voie

La *voie* est l'essence même du mode de vie tel que le conçoit le bouddhisme. Suivre la voie, c'est écraser dans l'œuf nos illusions innées. La noble voie de la libération absolue consiste à atteindre la vision juste, la parole juste, la conduite juste, le mode de vie juste, l'attention juste et l'équilibre juste dans la méditation.

• La vision juste est le discernement acquis grâce à l'analyse qui fait suite à la période de méditation, et qui consiste à se dire : « Voilà ce que j'ai saisi, au cours de cette méditation équilibrée, de la réalité des quatre nobles vérités. »

• La pensée juste consiste à examiner comment la signification profonde, déjà perçue grâce au raisonnement correct et aux signes révélateurs, coïncide avec la signification des sutras, de sorte que le sens puisse en être compris, puis expliqué aux autres.

• La parole juste consiste à montrer aux autres, par l'enseignement, le débat et l'écriture, la nature de la réalité, abstraction faite de toutes les élaborations liées à la description conventionnelle qu'en donnent les simples mots, et d'amener autrui à la conviction que là est la vision parfaite. Cette parole est dénuée de toute tromperie et autres manœuvres.

• La conduite juste est l'adoption d'un comportement irréprochable, propre à convaincre les autres que toutes nos activités sont en accord avec la doctrine et en harmonie avec une éthique irréprochable.

• La vie juste consiste à convaincre les autres que nous menons une existence digne, sans rapport avec les fruits nocifs d'un mode de vie erroné, et exempte de tout comportement douteux, de tout discours flatteur et autres déviances.

• L'effort juste consiste à méditer assidûment sur le sens de la réalité qu'on a déjà perçue, c'est donc un antidote aux illusions dont il faut se défaire sur le chemin de la méditation.

• L'attention juste consiste à garder constamment à l'esprit l'objectif de sérénité et de méditation lucide, sans jamais l'oublier, ce qui agit comme un antidote à cette illusion secondaire qu'est l'oubli.

• La stabilité méditative juste consiste à instaurer une stabilité dans la méditation, sans tomber dans les défauts que sont un équilibre défaillant et l'excitation. Cette attitude est un antidote aux obstacles et elle mène à l'acquisition progressive des qualités propres à la voie.

## Fondements de l'éthique

Bien que l'entraînement à l'éthique puisse prendre diverses formes, la base essentielle consiste à se défaire des dix non-vertus, dont trois concernent des actions d'ordre physique, quatre des actions d'ordre verbal et trois des actions d'ordre mental.

Les trois non-vertus d'ordre physique sont les suivantes :

• L'atteinte portée à la vie d'une créature vivante : cela va du fait de tuer un insecte à celui de tuer un être humain.

• Le vol : l'appropriation du bien d'autrui sans son consentement, et ce quelle qu'en soit la valeur, et que l'on commette l'acte en personne ou par l'intermédiaire d'autrui.

• L'inconduite sexuelle : l'adultère.

Les quatre non-vertus d'ordre verbal sont les suivantes :

• Le mensonge : le fait de tromper autrui par des paroles ou des gestes de nature matérielle.

• La discorde : le fait de créer des dissensions en poussant à la discorde ceux qui sont d'accord, ou à aggraver les désaccords entre personnes d'avis divergents.

• La cruauté : le fait de maltraiter autrui.

• L'inconséquence : le fait de parler de choses dénuées de sens et motivées, entre autres, par le désir.

Les trois non-vertus d'ordre mental sont les suivantes :

• L'envie : le fait de penser : « Puisse ceci devenir mien ! », le fait de désirer ce qui appartient à autrui.

• Le désir de nuire – quelle que soit la gravité du préjudice.

• Les visions erronées : le fait de considérer une réalité existante – comme la renaissance, la loi de cause à effet, ou les trois joyaux (le Bouddha, sa doctrine et la communauté spirituelle) – comme dénuée d'existence.

## Le choix d'un maître spirituel

Chacun sait que, pour parvenir aux résultats escomptés, il est essentiel de réunir tous les facteurs favorables et d'éliminer les obstacles. Nous élaborons d'avance un programme, que ce soit dans le domaine scientifique, technologique, économique ou tout autre. Lorsque nous suivons pas à pas le programme prévu, nous sommes pratiquement certains d'arriver aux résultats escomptés. Le but ultime du dharma étant d'atteindre l'éveil, nous devons élaborer avec le plus grand soin notre plan d'action et son exécution. Il est donc capital de trouver le maître spirituel adéquat et qualifié.

La personne que vous choisissez comme maître spirituel doit être qualifiée. Ce doit être – au minimum – quelqu'un de doux, et qui a réussi à dompter son esprit, car le but même, lorsqu'on se choisit un maître spirituel, est de dompter l'esprit. Cela veut dire que le maître spirituel doit avoir lui-même atteint un certain niveau de réalisation grâce à une pratique assidue.

Étant donné le rôle crucial que joue le maître spirituel dans notre quête de réalisation, le Bouddha a défini en détail les qualités dont il (ou elle) doit faire preuve : en bref, ce maître doit essentiellement être fidèle à sa pratique, et avoir une vaste connaissance du dharma. D'où l'importance de bien évaluer tout maître spirituel potentiel avant d'établir avec lui une relation de maître à disciple. Il est absolument recommandé d'assister à ses enseignements car un tel contact nous permettra d'avoir une expérience directe de ses capacités à enseigner. Pour évaluer la pratique personnelle du maître, nous pouvons passer au crible son style de vie. Nous pouvons aussi en savoir beaucoup sur lui (ou elle) par l'intermédiaire de ceux qui le (ou la) connaissent déjà. Il peut aussi s'avérer utile d'apprendre à connaître cette personne dans des contextes différents. Lorsque vous vous sentirez en confiance, vous pourrez alors tenter de faire de cette personne votre maître spirituel.

Votre maître spirituel ayant été accepté en tant que tel, il est essentiel de cultiver à son égard le sentiment de foi et de respect qui convient, et de vous conformer à ses directives spirituelles. Il importe de souligner clairement que foi et respect ne sont pas synonymes de foi aveugle. Au contraire, l'approche doit se doubler d'un complément d'information. Dans les sutras, le Bouddha explique qu'un disciple doit se plier aux instructions vertueuses du maître, mais ne tenir aucun compte de ses injonctions malsaines. Les textes concernant la discipline vont dans le même sens et indiquent qu'il ne faut pas accepter des suggestions du maître qui ne seraient pas en accord avec le dharma.

Le principal critère de décision quant à la validité des instructions d'un maître est de voir si elles sont conformes ou non aux principes fondamentaux du bouddhisme. Si tel est le cas, nous devons obéir scrupuleusement, et cet enseignement produira à coup sûr des effets positifs. Lorsque les conseils d'un maître sont en contradiction avec les principes bouddhiques, nous sommes en droit d'hésiter et de réclamer des éclaircissements. Par exemple, si l'on disait à quelqu'un qui a été ordonné moine de boire de l'alcool, cela irait à l'encontre de ses vœux monastiques. Et, sauf si le maître met en avant des raisons spécifiques, il serait plus sage de passer outre cette injonction du maître.

En résumé, le maître spirituel doit faire autorité dans les trois voies à suivre – celle de l'éthique, celle de la méditation et celle de la sagesse. Cela suppose qu'il ait également une bonne compréhension des trois axes correspondants du discours, ce qui sous-entend une connaissance des écritures. Le maître spirituel doit être capable de répondre à vos questions de manière claire et directe et de clarifier vos doutes, et son apparence extérieure de même que sa conduite doivent être l'illustration ou le témoignage même de l'état d'éveil. Selon un dicton, « on reconnaît le tigre à ses rayures, mais celles de l'homme sont invisibles ». Il est cependant possible de déduire comment sont les autres, à la manière dont ils se présentent à nous.

Une fois établie et cultivée cette foi envers un maître spirituel, il est capital d'éviter toute rupture dans la relation. Quelle attitude faut-il donc adopter envers le maître ? On peut l'envisager en ces termes : « Puisque les bouddhas sont activement à l'œuvre au service du bien-être de tout être sensible, et puisque nous faisons partie de ceux qui sont en quête de libération, il existe forcément un canal par lequel nous pouvons puiser à leur inspiration et à leurs bienfaits. » Tel est en fait le rôle du maître spirituel, car c'est lui qui suscite une transformation au sein de notre esprit.

# 4

## LA LOI DU KARMA

Imaginez un vaste océan où flotte à la dérive un joug rutilant d'or. Dans les profondeurs de cet océan nage une tortue aveugle – seule et unique de son espèce – qui ne remonte à la surface pour respirer qu'une fois par siècle. Quelle chance y a-t-il pour que la tortue se retrouve à la surface le joug autour du cou ? Le Bouddha a dit que les chances de renaître sous la très précieuse forme humaine sont encore plus rares.

Les dieux eux-mêmes, dit-on, envient notre existence d'hommes car c'est la plus propice à la pratique du dharma. Il y a quelque cinq milliards d'êtres humains sur terre. Leurs mains, leurs cerveaux, leurs membres et leurs corps sont quasiment identiques. Mais lorsqu'il s'agit de savoir si tous ont des chances égales de pouvoir pratiquer le dharma, on ne peut que constater les différences. Nous avons la chance d'échapper aux circonstances défavorables faisant obstacle à la pratique du dharma, comme le fait de renaître en ayant des vues erronées, ou sous forme d'un animal, d'un revenant ou d'une entité infernale ; ou bien sous forme d'un dieu qui s'adonne au plaisir ; ou sous forme d'un humain ayant difficilement accès aux enseignements, ou né dans un lieu où l'enseignement bouddhique n'est pas accessible. Un autre contexte défavorable serait de naître dans un pays barbare où l'on épuise ses propres ressources pour des préoccupations de simple survie, ou encore à une époque où aucun Bouddha ne s'est manifesté.

Fort heureusement, nous jouissons d'un contexte favorable qui rend possible notre pratique. Par exemple, nous sommes nés sous forme d'humains capables de répondre aux enseignements, et dans des pays où ils sont accessibles. Nous n'avons pas commis de crimes abominables, et avons un certain degré de foi dans les enseignements bouddhiques. Bien que notre incarnation actuelle ne coïncide pas avec l'époque où le Bouddha était vivant, nous avons rencontré des maîtres spirituels capables de transmettre des enseignements remontant en droite ligne à l'époque même du Bouddha. Si le dharma demeure stable et prospère, c'est parce qu'il se trouve des adeptes pour suivre ces enseignements. Nous vivons également à une époque où de généreux bienfaiteurs veillent à ce que les moines et les nonnes ne manquent de rien de ce qui est nécessaire à leur pratique, en termes de nourriture, de vêtements et de logement.

Il est dit que la doctrine du Bouddha Shakyamuni perdurera cinq mille ans. Si nous renaissons sous forme humaine après ce délai, nous n'en profiterons pas. Mais notre renaissance en ce monde a eu lieu en un temps d'illumination, où la doctrine du Bouddha est toujours présente. Si vous voulez transformer votre esprit, il faut que vous soyez persuadé de l'importance de mettre à profit au maximum cette existence d'être humain qui est la vôtre.

Jusqu'ici, nous avons tranquillement vécu notre vie, nous avons mangé à notre faim, trouvé un toit pour nous abriter, et des vêtements pour nous couvrir. Si nous devions continuer de la même manière, à manger pour vivre et rien de plus, quel sens aurait notre vie ? Nous jouissons tous de cette forme humaine qui nous a été donnée, et qui est précieuse, mais ce n'est pas en soi un motif de fierté. Il existe une infinité d'autres formes de vie sur la planète, mais aucune espèce ne s'est livrée à la forme de destruction entreprise par les humains. Les hommes mettent en danger toutes les créatures vivant sur cette planète. Si nous laissons la compassion et l'altruisme guider notre vie, nous réussirons de grandes choses – ce qui n'est pas à la portée des autres formes de vie. Si nous savons faire un usage positif de cette précieuse forme humaine, elle aura en fin de compte une valeur. Et notre existence humaine deviendra alors réellement précieuse. Si, en revanche, nous utilisons notre potentiel humain et les capacités de notre cerveau de manière négative, à torturer les gens, à exploiter les autres et à tout détruire, notre existence humaine sera pour nous-mêmes un danger dans l'avenir, comme elle est un danger pour les autres aujourd'hui. L'existence humaine, si elle sert des desseins destructeurs, a le potentiel d'annihiler tout ce qui nous est connu. Mais elle peut aussi être la source qui permet de devenir un bouddha.

### La loi de causalité

Nous avons été propulsés dans le cycle de la souffrance par nos illusions et les actions qu'elles entraînent, connues sous le nom de *karma*. En raison du lien de cause à effet entre nos actions et nos expériences, nous passons notre vie à subir toutes sortes de hauts et de bas, et sommes en proie aux problèmes et à la confusion. On appelle libération, ou *nirvâna,* le fait d'être totalement délivré du poids des actes passés et de l'esclavage du désir, de la haine et de l'ignorance. Dès lors que nous sommes capables d'éliminer les illusions et le karma, en accédant à la pureté originelle de l'esprit, il s'ensuit une paix totale, et l'on est définitivement délivré du cycle de la souffrance.

Si nous savons accomplir des actes bénéfiques, comme sauver la vie d'animaux menacés de mort, nous pouvons accumuler les atouts favorables à notre renaissance sous forme humaine. Si nous nous engageons dans une pratique sérieuse du dharma, nous serons à même de poursuivre notre progrès spirituel dans nos vies futures. Mais notre vie présente est précieuse autant qu'imprévisible, et il importe de s'engager dans la pratique tant que nous en avons la possibilité. On ne sait jamais combien de temps durera cette opportunité.

Nos actes présents, selon la loi du karma – la loi de cause à effet – ont des conséquences pour l'avenir. Notre futur est déterminé par notre état d'esprit actuel, or, dans notre état d'esprit actuel, nous sommes submergés par les illusions. Nous devons aspirer à atteindre l'éveil. Si ce n'est pas possible, nous devons chercher à être libérés de toute renaissance. Si cela non plus n'est pas possible, nous devrions au moins planter les graines d'une vie future favorable, plutôt que de tomber dans les royaumes inférieurs de l'existence. À cet instant propice, où rien ne s'oppose à notre écoute et à notre pratique du dharma, nous ne devons pas laisser passer cette occasion exceptionnelle.

Le karma peut être appréhendé comme une loi de cause à effet, assez comparable au principe, tel que le comprennent les physiciens, selon lequel toute action appelle une réaction opposée et égale. Comme en physique, la forme que prendra la réaction n'est pas toujours prévisible, mais il est parfois possible d'anticiper celle-ci, et nous pouvons agir pour en atténuer les effets. La science met en œuvre des moyens d'assainir l'environnement, à présent pollué, et de nombreux scientifiques s'emploient à prévenir de nouvelles pollutions. De même, nos vies futures sont déterminées par nos actes présents, ainsi que par ceux accomplis dans notre passé récent et dans nos vies antérieures. La pratique du dharma vise à atténuer les effets de nos actions karmiques, et à empêcher toute pollution ultérieure liée à des pensées et à des actions négatives. Faute de quoi ces pensées et actions négatives nous propulseront vers une renaissance vouée à une immense souffrance. Tôt ou tard, nous allons mourir, donc, tôt ou tard, nous allons devoir renaître. Il n'y a que deux catégories de sphères de l'existence dans lesquelles nous pouvons renaître : les sphères favorables et les sphères défavorables. Le moment de notre renaissance dépend du karma.

## Conscience et renaissance

Le karma est créé par un agent, une personne, un être vivant. Les êtres vivants ne sont rien d'autre que l'expression de l'être sur la base de la continuité de la conscience. La nature de la conscience, c'est la luminosité et la clarté. La conscience est un outil de connaissance, précédé par un moment antérieur de connaissance qui est la source même de cette conscience. Si nous parvenons à comprendre que la continuité de la conscience ne peut être épuisée en totalité au cours d'une seule vie, nous nous apercevrons que cela plaide en toute logique en faveur de l'existence possible d'une vie après la mort. Si nous ne sommes pas convaincus de la continuité de la conscience, nous savons au moins qu'il n'existe aucune preuve qui permette de réfuter la théorie de l'existence d'une vie après la mort. On ne peut pas démontrer cette hypothèse, mais on ne peut pas non plus la réfuter. Il existe de nombreux exemples de personnes ayant le souvenir très vivace de vies antérieures. Et ce n'est pas un phénomène réservé aux bouddhistes. Certains, parmi ceux qui ont de tels souvenirs, ont des parents qui ne croient pas en une vie après la mort, ou en l'existence de vies antérieures. Je connais le cas de trois enfants qui se sont avérés capables de se souvenir de leurs vies passées de manière très claire. Dans l'un de ces cas, le souvenir de la vie antérieure était si frappant que les parents de l'intéressée, qui auparavant ne croyaient pas en une survie après la mort, en sont à présent convaincus, tellement les souvenirs évoqués par leur enfant étaient nets. Non seulement cette fillette se souvenait clairement d'avoir vécu dans un village des alentours, qu'elle reconnut, mais elle fut en mesure d'identifier ses parents antérieurs, qu'elle n'avait pu rencontrer en aucune autre occasion. S'il n'existe pas de vie après la mort, il n'y a pas non plus de vie antérieure, et il faudra donc trouver une autre explication à de tels souvenirs. Il y a aussi de nombreux cas où des parents élèvent deux enfants de la même manière, au sein d'une même société, d'un même milieu, et où pourtant l'un réussit mieux que l'autre. Nous voyons dans ces différences l'écho de différences présentes dans nos actions karmiques passées.

La mort n'est rien d'autre que la séparation de la conscience et du corps physique. Si vous n'admettez pas ce phénomène qu'on appelle la conscience, je crains qu'il soit aussi très difficile d'expliquer ce qu'est au juste la vie. Lorsque la conscience est connectée au corps et que leur relation perdure, nous appelons cela la vie, et quand la conscience met fin à sa relation avec un corps individuel donné, nous appelons cela la mort. Bien que notre corps soit un agrégat d'éléments chimiques ou physiques, ce qui constitue la vie des êtres humains est une sorte d'agent subtil de pure luminosité. Celui-ci n'étant pas d'ordre physique, on ne peut pas le mesurer, mais cela ne veut pas dire qu'il n'existe pas. Nous avons passé tellement de temps à l'exploration du monde extérieur, au prix d'une telle énergie et de tant de recherches ! Mais si nous changeons à présent d'approche, si nous orientons cette investigation, cette recherche et cette énergie vers l'intérieur et commençons à analyser les choses, je crois vraiment que nous aurons en main la capacité de percevoir la nature de la conscience, cette clarté, cette luminosité qui est en nous.

Selon l'explication bouddhique, la conscience est décrite comme étant non matérielle et non obstructive, et c'est à partir des activités de cette conscience que naissent toutes les émotions, toutes les illusions et toutes les défaillances humaines. Mais c'est aussi en raison de la nature inhérente à cette conscience que l'on peut éliminer toutes ces défaillances et toutes ces illusions, et instaurer une paix et un bonheur durables. La conscience étant la base de l'existence et de l'éveil, il existe une abondante littérature sur le sujet.

Nous savons par notre propre expérience que la conscience (ou l'esprit) est sujette au changement, ce qui sous-entend qu'elle dépend de causes ou de conditions qui la modifient, la transforment et l'influencent – et qui ne sont autres que les conditions et les circonstances de notre vie. Pour se manifester, la conscience doit forcément avoir une cause substantielle similaire à la nature de la conscience elle-même. Sans ce moment préalable de conscience, nulle conscience ne peut exister. Elle ne peut être issue du néant, ni retourner au néant. La matière ne peut se transformer en conscience. Nous devrions donc être à même de suivre la trace de la séquence causale des moments de conscience successifs en remontant en arrière dans le temps. Les écritures bouddhiques parlent de centaines de milliards de formes d'univers, d'un nombre infini de mondes, et du fait que la conscience existe depuis la nuit des temps. Je crois que d'autres univers existent. La cosmologie moderne dit, elle aussi, qu'il y a de nombreux systèmes d'univers différents. Bien que les traces de vie sur d'autres planètes n'aient pas encore été scientifiquement observées, il serait illogique de conclure que la vie n'est possible que sur cette planète, qui dépend du système solaire, et pas sur d'autres types de planètes. Les écritures bouddhiques mentionnent la présence de la vie dans des mondes différents, de même que l'existence d'autres types de systèmes solaires et d'un nombre infini d'univers.

Si l'on demande aux scientifiques *comment* l'univers est apparu, ils ont une foule de réponses à offrir. Mais si on leur demande *pourquoi* cette évolution a eu lieu, ils restent sans réponse. Ils n'expliquent généralement pas l'univers comme étant l'œuvre de Dieu, étant des observateurs objectifs qui ont tendance à croire uniquement en un univers matériel. Certains disent que c'est le fruit du hasard ; cette position est en elle-même illogique, car si un objet quelconque existe par hasard, cela revient à dire que les choses sont dénuées de cause. Or notre vie quotidienne nous montre que tout a une cause : les nuages provoquent la pluie, le vent emporte des graines pour donner naissance à de nouvelles plantes. Rien n'existe sans raison. Si l'évolution a une cause, deux explications sont alors possibles. On peut admettre l'idée que l'univers est une création divine, ce qui va susciter de nombreuses contradictions, comme l'obligation d'admettre que la souffrance et le mal sont également l'œuvre de Dieu. L'autre option consiste à expliquer qu'il existe une infinité de créatures douées de perception, dont les potentiels karmiques ont collectivement créé l'ensemble de cet univers, faisant de celui-ci leur environnement. L'univers que nous habitons est créé par nos propres désirs et nos propres actions. Voilà pourquoi nous sommes ici. Ce raisonnement-là, au moins, est logique.

À l'heure de la mort, nous sommes ballottés au gré de la force de nos propres actions karmiques. Des actions karmiques négatives nous amènent à renaître dans les sphères inférieures de l'existence. Pour nous dissuader nous-mêmes d'agir de façon négative, nous devrions nous demander, en imagination, si nous serions ou non capables d'endurer les souffrances de ces zones inférieures. Ayant constaté que le bonheur découle d'actions positives, nous prendrons grand plaisir à faire provision de vertu. En faisant le parallèle entre votre existence et celle des autres, vous serez en mesure de mettre en œuvre une compassion intense, car vous comprendrez que leurs souffrances ne sont pas différentes des vôtres, et qu'eux aussi souhaitent accéder à la libération. Il est important de méditer sur la souffrance des animaux et des royaumes infernaux. Si nous ne faisons pas de progrès spirituels, c'est là que nous mèneront nos actions négatives. Et si nous nous estimons incapables de supporter la souffrance du feu, du froid ou de la soif inextinguible, notre motivation pour la pratique sera infiniment plus grande. Notre existence humaine actuelle nous offre la possibilité et les conditions de notre propre sauvetage.

## Les conséquences du karma

Les conséquences du karma sont sans équivoque : les actions négatives sont toujours source de souffrance, et les actions positives sont toujours source de bonheur. Si vous faites le bien, vous aurez le bonheur ; si vous faites le mal, vous serez vous-même victime de la souffrance. Nos actions karmiques nous suivent au travers de multiples existences, ce qui explique pourquoi certains, qui se laissent perpétuellement aller à des actes négatifs, réussissent pourtant sur le plan matériel, alors que d'autres, qui sont engagés dans la pratique spirituelle, font face à des myriades de difficultés. Les actions karmiques ont été commises au cours d'une multitude de vies, il existe donc une infinité de dénouements possibles.

Le potentiel du karma augmente toujours avec le temps. De petites graines sont susceptibles de donner d'énormes fruits. Cette règle de cause à effet s'applique aussi sur le plan intérieur : une action, même insignifiante, peut avoir d'énormes conséquences, positives ou négatives. Par exemple, un petit garçon, persuadé que c'était de l'or, offrit un jour au Bouddha une poignée de sable. Dans une vie ultérieure, le garçon se réincarna sous la forme du grand empereur bouddhiste Ashoka (304-232 av. J.-C.). De l'action positive la plus insignifiante peut découler le plus immense bonheur, de même qu'une minuscule action négative peut causer d'intenses souffrances. Le potentiel de croissance du karma au sein de notre courant de conscience est beaucoup plus grand que celui d'une simple cause de nature matérielle, comme un pépin de pomme par exemple. De même que des gouttes d'eau peuvent emplir un grand réceptacle, les actions les plus modestes, répétées continuellement, peuvent emplir l'esprit d'êtres doués de conscience.

Au sein de la communauté des hommes, on note de grandes disparités. Certains réussissent toujours dans la vie, d'autres sont toujours en échec ; certains sont heureux ; certains ont une présence bénéfique et l'esprit serein. Certains, contre toute attente, semblent être toujours confrontés à de grands malheurs ; d'autres, qu'on aurait cru destinés au malheur, y échappent. Tout cela témoigne du fait que nous n'avons pas la haute main sur tout. Parfois, lorsque nous nous attaquons à un projet, nous réunissons toutes les conditions nécessaires au succès – mais pourtant il manque toujours quelque chose. Nous disons de l'un qu'il a de la chance, de l'autre qu'il n'en a pas, mais ce constat ne suffit pas : la chance a forcément une raison d'être, une cause. Selon l'explication bouddhique, la chance est la conséquence d'actions commises soit dans une vie passée, soit antérieurement dans notre vie actuelle. Lorsque le potentiel est mûr, même dans des circonstances adverses, votre projet réussira. Mais, dans certains cas, c'est l'échec, même si vous avez réuni toutes les conditions favorables.

Nous autres Tibétains sommes devenus des réfugiés et avons enduré beaucoup de souffrances, et malgré tout nous sommes relativement heureux et privilégiés. Au Tibet, les Chinois ont essayé de mettre sur un pied d'égalité toute la population, en créant des structures communautaires et en limitant la propriété privée. Pourtant, au sein de ces communautés, certains jardins produisent plus de légumes que d'autres, et certaines vaches donnent plus de lait. Cela montre qu'il existe de grandes disparités de mérite d'un individu à un autre. Si les actions vertueuses d'un individu ont suffisamment mûri, les autorités auront beau confisquer ses richesses, il réussira tout de même, grâce à la force de son mérite, à la force de ce karma. Si vous accumulez les actions positives de manière correcte, par exemple en évitant de tuer, ou en libérant des animaux, en cultivant la patience envers autrui, cela aura des effets bénéfiques dans l'avenir et dans les vies ultérieures ; alors que si vous vous laissez constamment aller à des actions négatives, vous en paierez forcément le prix par la suite. Si vous ne croyez pas au principe du karma, alors libre à vous d'agir à votre guise.

Les actions positives et négatives sont déterminées par nos propres motivations. Si elles sont bonnes, toutes les actions deviennent positives ; si elles sont mauvaises, toutes les actions deviennent négatives. Les actions karmiques sont très diverses : certaines sont totalement vertueuses, certaines totalement dénuées de vertu, d'autres sont à mi-chemin. Si la motivation est juste, elle sera porteuse de bonheur, même si l'action en elle-même peut sembler tout à fait violente. Si, en revanche, la motivation est mauvaise, l'action aura beau sembler bénéfique et positive, elle sera en réalité négative. Tout dépend de l'esprit : si votre esprit est discipliné et bien entraîné, toutes les actions deviennent positives, alors que si votre esprit est indiscipliné et constamment influencé par le désir et la haine, même si en apparence vous agissez de manière positive, en réalité vous accumulerez un mauvais karma. Si un plus grand nombre de personnes croyaient en cette loi du karma, la police et le système pénal deviendraient superflus. Mais si les individus sont dénués de cette foi intérieure dans les effets karmiques de leurs actions, ils auront beau faire appel à toutes sortes de techniques sur le plan extérieur pour faire respecter la loi, jamais ils n'arriveront à faire éclore une société où règne la paix. Dans notre monde moderne, on utilise des appareils de surveillance sophistiqués pour traquer les délinquants. Mais plus ces machines sont sophistiquées et fascinantes, plus les malfaiteurs font preuve de sophistication et de détermination. Si l'on veut que cette société humaine change en mieux, il ne suffira pas de faire appliquer la loi au-dehors : il faut qu'il y ait en nous une sorte de force de dissuasion interne.

### L'ennemi intérieur

L'illusion est la principale cause de renaissance dans le *samsara* – le cycle de l'existence. Sans les illusions, les actions karmiques n'auraient pas le pouvoir de susciter une réincarnation, elles seraient comme des semences calcinées. Il est essentiel de chercher des antidotes aux illusions, mais encore faut-il avoir correctement identifié celles-ci. Nous devons donc être très clairs quant aux caractéristiques générales et individuelles des illusions. Comme le disait le premier dalaï-lama, il faut dompter le seul et unique ennemi intérieur, qui n'est autre que l'illusion. Les ennemis extérieurs peuvent nous sembler très menaçants, mais, dans nos vies futures, ils pourraient se changer en amis. Aujourd'hui même, ils nous donnent l'occasion de pratiquer la patience et la compassion, car nous sommes essentiellement identiques, tous en quête de bonheur, et tous désireux d'éviter la souffrance. Mais l'ennemi intérieur – celui de l'illusion – n'a pas de qualités positives : il doit tout simplement être combattu et anéanti. Nous devons donc identifier correctement l'ennemi et voir comment il agit. Tout état mental qui détruit la sérénité d'esprit et suscite la détresse mentale, celle qui perturbe, qui afflige et qui tourmente l'esprit, peut être qualifié d'illusion.

Identifions donc un certain nombre d'illusions. Il y a tout d'abord l'attachement, qui est une forte attirance pour de belles personnes, de beaux objets ou des expériences agréables. Il est très malaisé de se défaire de l'attachement, tout se passe comme si notre esprit s'était focalisé sur l'objet de son désir. La colère est une autre forme d'illusion. Quand les gens se mettent en colère, on voit immédiatement qu'ils perdent leur sang-froid, leur visage devient rouge et se plisse, leurs yeux mêmes rougissent. L'objet de la colère, qu'il soit animé ou inanimé, est considéré comme indésirable et répugnant. La colère est un état incontrôlé, très violent et chaotique de l'esprit. Parmi les autres illusions, l'orgueil est un état d'esprit fondé sur une attitude égocentrique, dans lequel nous éprouvons de la vanité quant à notre statut, à notre influence sociale et à notre savoir. Peu importe que nous ayons ou non réussi en quoi que ce soit – nous sommes bouffis d'orgueil. L'orgueilleux invétéré se pavane pompeusement. Vient ensuite l'ignorance qui est une conception erronée de l'identité des quatre nobles vérités de la loi du karma, pour ne citer qu'elles. Dans ce contexte spécifique, le terme d'ignorance désigne une disposition mentale totalement fermée à la nature des trois joyaux que sont le Bouddha, sa doctrine et la communauté spirituelle, ainsi qu'à la nature du karma. L'illusion du doute consiste en une pensée vacillante, ne sachant décider si les quatre nobles vérités de la loi du karma sont oui ou non réelles. Comme l'a dit Tsongkhapa (1357-1419), figure renommée de l'enseignement du bouddhisme tibétain, quel que soit le royaume dans lequel nous sommes susceptibles de renaître dans le cycle de l'existence, des sommets les plus élevés jusqu'aux niveaux les plus bas, tous sont porteurs de souffrances. Ces souffrances ne sont pas dépourvues de cause, elles ne sont pas non plus créées par quelque dieu tout-puissant. Elles sont le produit de nos propres illusions et de nos actions karmiques, elles-mêmes suscitées par des états incontrôlés de l'esprit. La cause fondamentale de toutes ces souffrances est l'ignorance, source d'une conception erronée de la nature des phénomènes, et de la perception de soi en tant qu'être doté d'une existence individuelle. Cette ignorance nous amène à exagérer l'importance des phénomènes et à créer les catégories établissant une distinction entre notre être propre et celui des autres. Ces différenciations donnent lieu à l'expérience du désir et de la haine, qui en réalité débouchent sur toutes sortes d'actions négatives, suscitant à leur tour toutes nos souffrances indésirables. Si nous ne voulons pas de ces souffrances, nous devons déterminer s'il est possible ou non de nous en débarrasser. Si l'ignorance qui nous donne une fausse vision de l'être est une forme erronée de conscience, elle peut être éliminée en corrigeant l'erreur. Cette démarche est possible : il suffit de faire éclore dans notre esprit une sagesse qui mette en place le contraire même de cet état d'esprit, une sagesse sensible au fait qu'il n'existe pas d'être qui soit doté d'une existence autonome.

Lorsque nous comparons ces deux attitudes d'esprit – l'une qui consiste à croire en la réalité d'une existence individuelle de l'être et l'autre qui consiste à en percevoir l'absence de réalité –, la première peut apparaître initialement très fortement convaincante. Mais cette appréhension étant erronée, elle manque d'arguments logiques.

L'autre attitude d'esprit – celle où l'on comprend l'inexistence de l'être –, bien qu'assez peu convaincante de prime abord, a des fondements logiques. Tôt ou tard, cette sagesse qui met en évidence l'absence d'individualité de l'être finit forcément par l'emporter. La vérité n'est peut-être pas évidente dans un premier temps, mais, en regardant les choses de plus près, elle le devient de plus en plus. Une notion initialement fausse peut sembler ferme et inattaquable, mais en définitive, à mesure qu'on l'approfondit, elle s'avère de plus en plus inconsistante et finit par s'envoler en fumée.

Ayant constaté que toute expérience au sein du cycle de l'existence est en elle-même source de souffrance, il nous faut cultiver un authentique désir de nous en libérer. Motivés par ce désir, nous devons entreprendre un triple entraînement : à la morale, à la concentration et à la sagesse. De ces trois cheminements, l'antidote capable d'éliminer les illusions est celui de la sagesse permettant de réaliser la non-existence d'un soi individuel. Pour y parvenir, il nous faut d'abord pour base la stabilité mentale de la concentration, et celle-ci dépend à son tour de l'observance d'une moralité stricte. Il convient donc de nous entraîner également sur le plan moral. Dans un premier temps, il faut donner la priorité à la pratique morale – là est la nécessité première.

Tsongkhapa dit que l'attention et l'introspection sont les fondements de tout l'édifice du dharma. Pour parvenir à l'observance d'une moralité pure, les facultés d'introspection et d'attention correcte sont indispensables. Pour les laïcs, hommes et femmes, l'observance d'une moralité stricte et le rejet de toute action négative sont le fondement de la pratique du chemin qui mène à l'éveil. Si, au lieu de prendre en compte des nécessités concrètes, comme l'observance de la morale, nous partons à la recherche de voies plus sophistiquées, notre pratique manquera de sérieux et ne sera plus qu'une imposture. Grâce à la poursuite assidue de ce triple entraînement – à la morale, à la concentration et à la sagesse –, il nous faut impérativement œuvrer à cet accès à la libération, et la vouloir non seulement pour nous-mêmes, mais aussi pour la totalité des êtres sensibles.

## Le cycle de l'existence

Puisque le cycle de l'existence, avec tous les malheurs qui y sont associés, est un véritable calvaire, qu'en est-il au juste de cette existence cyclique ? La question mérite réponse.

L'existence cyclique se présente sous trois aspects correspondant à différents cadres d'existence : il y a un monde du désir, un monde de la forme et un monde du sans-forme. Dans le monde du désir, les êtres prennent part aux plaisirs liés aux « cinq attributs du désir » que sont les formes, les sons, les odeurs, les goûts et les objets tangibles. Le monde de la forme comporte deux zones : dans la sphère inférieure, les êtres ne sont pas attirés par les plaisirs extérieurs mais goûtent aux plaisirs de la contemplation intérieure ; dans la sphère supérieure, les êtres se sont totalement détournés des sensations agréables et n'éprouvent plus que des sensations neutres. Dans le monde du sans-forme, formes, sons, odeurs, goûts et objets tangibles, ainsi que les cinq sens correspondant, sont totalement absents : il n'y a plus que l'esprit, et les êtres sont dans un état de neutralité émotionnelle concentrée en un unique point d'attention sans faille.

Il existe six classes distinctes d'êtres sensibles, en migration au sein de ce cycle de l'existence : les dieux, les demi-dieux, les humains, les fantômes affamés[1], les animaux et les habitants des enfers. La catégorie des dieux inclut des êtres évoluant dans le monde de la forme et du sans-forme, et les six types de dieux évoluant dans le monde du désir. Les demi-dieux sont comparables aux dieux, mais ils sont malicieux et frustes. Les humains sont ceux qui habitent les quatre « continents », etc. Les fantômes

––––––––––––

1. Appelés aussi « esprits avides » ou *preta. (N.d.T.)*

affamés sont des êtres nombreux et variés souffrant gravement de la faim et de la soif. Les animaux peuplent les océans ainsi que toute la surface de la terre. Les habitants des enfers sont des personnes nées sous une diversité de formes et de couleurs, par l'effet et de la force de leurs actions antérieures et en accord avec elles.

Dans son sens profond, le cycle de l'existence est un processus qui échappe à notre contrôle et qui se déroule en fonction d'actions et de tendances négatives. Ce processus est par nature douloureux, et il a pour fonction de servir de base à la souffrance et d'induire de futures souffrances. Techniquement parlant, l'existence cyclique est une somme d'événements d'ordre physique et mental négatifs, que l'on s'approprie à la suite d'actions et de tendances perverties. Et puisque rien, dans les trois mondes mentionnés plus haut, n'échappe à ce cycle de l'existence, c'est la somme de tous les agrégats physiques et mentaux de l'ensemble de ces êtres qui constitue cette existence cyclique.

Quelles sont les racines de l'existence cyclique ? Les sources de la souffrance sont de deux ordres : les actions nocives et les tendances négatives. Ces tendances négatives entrent dans la catégorie des facteurs mentaux secondaires, et ne font pas elles-mêmes partie des six principales activités de l'esprit (la vision, l'ouïe, l'odorat, le goût, le toucher et la conscience mentale). Cependant, quand l'une de ces fâcheuses tendances de l'esprit, quelle qu'elle soit, se manifeste de façon évidente, l'un des éléments majeurs de l'esprit (la conscience mentale) passe sous son influence, suit la direction où le mène ce travers, et « engrange » une mauvaise action.

L'esprit connaît de nombreuses formes de tendances répréhensibles, mais les principales sont le désir et la haine. En raison d'un attachement initial envers soi-même, la haine surgit lorsqu'un événement indésirable se produit. En outre, cet attachement que l'on a envers soi-même suscite l'orgueil qui nous persuade de notre supériorité par rapport aux autres ; de même, notre méconnaissance d'une chose donnée donne lieu à une fausse vision qui nous persuade de l'inexistence de cet objet de connaissance.

Comment se fait-il que l'attachement à l'ego – pour ne citer que lui – se manifeste avec autant de force ? L'esprit, en raison d'un conditionnement immémorial, est étroitement attaché au « je », jusque dans les rêves, et c'est grâce à la force de cette conviction que naissent l'attachement à l'ego et tout ce qui s'ensuit. Cette fausse conception du « je » naît de notre absence de savoir quant au mode d'existence des choses. Le fait que tous les objets sont vides d'existence propre n'apparaît pas clairement, et l'on conçoit la notion d'une existence inhérente à chaque chose, d'où cette forte conviction d'un « je » indépendant. L'idée selon laquelle les phénomènes sont dotés d'une existence propre est le comble de l'ignorance et la racine même de tous nos errements.

## Les différentes formes d'action

Du point de vue de leur nature, les actions sont de deux types : intentionnel et opérationnel. L'action intentionnelle intervient préalablement aux actes d'ordre physique ou verbal, c'est un facteur mental qui est à l'origine de l'impulsion d'agir. L'action opérationnelle est un acte physique ou verbal qui se met en œuvre au moment où l'on entame une activité.

Du point de vue de leurs effets induits, les actions sont de trois ordres : méritoire, non méritoire et invariable. Les actions méritoires donnent lieu, dans le cycle de l'existence, à des migrations heureuses, sous forme d'êtres humains, de demi-dieux ou de dieux. Les actions non méritoires induisent des migrations malheureuses, sous forme d'animaux, de fantômes affamés ou d'habitants des enfers. Les actions invariables induisent le séjour dans l'un des mondes supérieurs, qui sont ceux de la forme et de la non-forme.

On peut distinguer les actions d'ordre physique, verbal et mental. D'autre part, du point de vue des effets constatés, les actions entrent dans trois catégories : les effets d'une action « engrangée » dans notre vie actuelle peuvent être perçus soit dans cette vie même, soit dans la vie suivante, soit dans toute autre vie ultérieure.

Comme nous l'avons déjà expliqué, les causes de l'existence cyclique sont les actions nocives et les tendances négatives. Si les racines des penchants négatifs sont éliminées et si de nouvelles actions du même ordre ne sont pas « engrangées », il n'y a pas de réactivation des prédispositions antérieures et persistantes à agir négativement, et les causes qui sont à l'origine du caractère cyclique de l'existence sont ainsi éliminées. On est alors libéré de cet assujettissement. Certains disent que tant qu'il demeure en nous des traces d'actions et de tendances négatives passées, notre nirvâna reste « sous condition ». Lorsqu'il n'en reste plus aucune trace, notre nirvâna est « sans condition », c'est-à-dire qu'il n'y a plus aucune trace de ces agrégats mentaux et physiques dus aux actions et aux travers nocifs, mais que le continuum de notre conscience persiste, comme persiste le fil des événements mentaux et physiques exempts de toute contamination néfaste.

Avec l'élimination de leur cause prennent fin les agrégats négatifs, et lorsqu'on s'en libère définitivement, la souffrance qui leur était liée disparaît. Telle est la libération, qui peut être de deux ordres : une libération sous forme de simple annihilation des souffrances et de leurs causes, et la grande libération sans égale, où l'on accède à la bouddhéité. La première est l'anéantissement de tous les obstacles créés par nos tendances négatives (et qui nous empêchent d'échapper au cycle de l'existence), mais pas des obstacles qui bloquent l'accès à la connaissance directe de tous les objets de connaissance. La seconde est le niveau ultime de libération, l'extinction totale à la fois de toutes les tendances négatives et de tout ce qui peut faire obstacle à l'omniscience.

## Les trois refuges

Quelles sont les méthodes susceptibles d'amener notre esprit à ne faire qu'un avec la pratique ? Tout d'abord, nous devons prendre refuge et réfléchir aux actions et à leurs effets. Le refuge réside dans les trois joyaux que sont le Bouddha, sa doctrine et la communauté spirituelle. Lorsqu'un être sensible se purifie des souillures de son propre esprit, ainsi que des prédispositions latentes qui y sont liées, il se libère de tous les défauts qui font obstacle. Il a ainsi accès à la connaissance directe et simultanée de tous les phénomènes. Un tel esprit mérite le nom de bouddha, et il est un maître auprès duquel on prend refuge, au même titre qu'un médecin. Le joyau de la doctrine est celui des voies les plus élevées (ou *arya*), dont les plus importantes sont d'une part la libération des souillures et de toutes les prédispositions latentes nous y incitant, et d'autre part les états d'absence qui sont ceux où l'on a éliminé tout ce qui devait l'être. La doctrine est le refuge tangible, comme l'est la médecine. Le joyau de la communauté est l'assemblée de tous ceux, laïcs ou moines, qui ont tracé et perpétué un chemin supérieur. Ce sont des amis qui, tels des infirmiers, nous aident à accéder au refuge.

# 5

## Transformer l'esprit

Toutes les religions sont en principe censées aider les êtres humains à devenir meilleurs, plus raffinés et plus créatifs. Alors que pour certaines religions, l'essentiel de la pratique consiste à réciter des prières, et pour d'autres, à recourir à des pénitences corporelles, dans le bouddhisme il va de soi que le cœur même de la pratique s'attache à la transformation et à l'amélioration de l'esprit. On peut voir les choses sous un autre angle : comparée aux activités physiques ou verbales, l'activité mentale est plus subtile et plus difficilement contrôlable. Les activités liées au corps et au verbe sont plus évidentes, plus faciles à apprendre et à mettre en pratique. Dans ce contexte, les démarches spirituelles impliquant l'esprit sont plus délicates et plus difficilement réalisables.

Il est essentiel pour nous de comprendre le sens réel du bouddhisme. L'intérêt croissant porté au bouddhisme est certes une très bonne chose, mais ce qui compte le plus est de comprendre ce qu'il est réellement. Faute de saisir la valeur et la signification profondes des enseignements bouddhiques, toute démarche visant à les préserver, à les restaurer ou à les propager risque de faire fausse route. La doctrine et la compréhension du dharma ne sont pas d'ordre physique. Donc, si l'approche qu'on en fait ne s'accompagne pas d'une compréhension correcte, construire des monastères ou réciter des textes sacrés sont des actes qui n'entrent peut-être même pas dans la pratique du dharma. Il importe de souligner que c'est l'esprit qui est le lieu de cette pratique du dharma.

Il serait erroné de croire que le simple fait de se vêtir différemment, de dire des prières ou de se prosterner recouvre l'ensemble de cette pratique du dharma. Laissez-moi vous expliquer : lorsque nous nous prosternons ou que nous déambulons autour du temple, toutes sortes de pensées surgissent dans notre esprit. Quand l'ennui vous gagne et que la journée semble longue, il peut être très agréable de faire le tour du temple. Si vous trouvez un ami bavard pour vous accompagner, alors le temps s'envole ! La promenade peut être plaisante, mais, en réalité, cela n'a rien à voir avec la pratique du dharma. Il y a même des circonstances où, tout en ayant l'air de pratiquer le dharma, on suscite en fait un karma négatif. Par exemple, on pourrait, tout en déambulant autour du temple, écha-fauder des plans pour tromper quelqu'un, ou se venger d'un rival. Mentalement, on pourrait se dire : « Voilà com-ment je vais le mettre à ma merci, voilà ce que je vais dire, voilà ce que je vais faire. » De la même manière, vous pourriez être en train de réciter des *mantras* sacrés tandis que votre esprit se livre à des pensées malfaisantes. Ce qui a toutes les apparences d'une pratique physique et verbale du dharma peut donc se révéler trompeur.

## Le but du dharma

Comme nous le disons, l'objectif majeur de la pratique du dharma est d'entraîner l'esprit. Mais comment y parve-nir ? Songez à toutes ces circonstances où vous étiez telle-ment en colère contre quelqu'un que vous auriez fait n'importe quoi pour lui faire du mal. Si vous voulez deve-nir un authentique pratiquant du dharma, vous devez réfléchir à cette situation de manière rationnelle. Il faut prendre en compte les nombreux aspects négatifs de la colère et les effets positifs de la mise en œuvre de la com-passion. Vous pouvez aussi songer à l'idée que celui qui fait l'objet de votre colère est semblable à vous dans son désir d'accéder au bonheur et de fuir la souffrance. Dans ces circonstances, comment pouvez-vous justifier cette volonté de lui nuire ?

Vous pouvez vous dire en votre for intérieur : « Je me considère comme étant un bouddhiste. Dès que j'ouvre les yeux le matin, je récite les prières, afin de prendre refuge et de développer l'éveil de mon esprit. Je promets d'agir pour le bien de tous les êtres sensibles, et me voilà en ce moment déterminé à être cruel et déraisonnable. Comment puis-je me dire bouddhiste ? Comment oser faire face aux bouddhas, alors que je bafoue tout ce dont ils sont l'exemple ? »

Des réflexions de cet ordre vous permettent de faire disparaître complètement la dureté de votre attitude et vos sentiments de colère. Des pensées douces et bonnes peuvent venir les remplacer, si vous songez à quel point c'est mal d'être à ce point en colère contre cette personne qui mérite votre bonté et votre bon vouloir. C'est ainsi que vous pouvez susciter en vous une authentique transformation du cœur. Voilà ce qu'est le dharma dans le vrai sens du terme. Vos pensées négatives antérieures peuvent être dissipées et remplacées par des sentiments positifs et pleins d'empathie envers cette personne. Nous devons prendre acte de cette volte-face spectaculaire, de ce bond en avant qui est d'une grande portée. Voilà en quoi consiste véritablement la pratique du dharma, mais ce n'est pas une mince affaire.

Quand l'esprit est sous l'influence de pensées vertueuses pleines de vigueur, rien de négatif ne peut agir parallèlement. Si vous êtes motivé par des pensées bonnes et heureuses, des actions même négatives en apparence peuvent susciter des résultats positifs. Par exemple, mentir est en principe un acte négatif, mais si vous mentez par compassion et par une volonté délibérée d'aider l'autre, le mensonge peut se transformer en quelque chose de sain.

Dans la tradition *mahayana* – du grand véhicule –, le *bodhisattva* est celui qui aspire à la bouddhéité, autrement dit à l'éveil, pour le plus grand bien d'autrui. Les pensées altruistes de l'esprit qui s'éveille sont l'expression de la mise en pratique de cette bonté empreinte d'amour et de compassion qui est celle du bodhisattva. Donc, dans certaines circonstances, le bodhisattva a le droit de commettre des actes négatifs d'ordre physique ou verbal. De tels actes répréhensibles ont d'ordinaire des conséquences néfastes. Mais, compte tenu de leur motivation, ces actes peuvent parfois rester neutres, et même, dans d'autres cas, s'avérer merveilleusement bénéfiques. Voilà pourquoi nous insistons sur le fait que le bouddhisme se préoccupe avant tout de l'esprit. Nos actions d'ordre verbal et physique n'ont qu'un rôle secondaire. Ce sont donc les intentions et les motivations de l'individu qui déterminent la qualité ou la pureté de toute pratique spirituelle.

## Les émotions perturbatrices

Les émotions perturbatrices sont extrêmement rusées et tenaces. Quand celui qui siège sur le trône du pouvoir est sous l'emprise de ces émotions, l'illusion règne sur lui. Et quand nous l'écoutons, son orgueil enfle à mesure que son discours s'étire. C'est ainsi qu'agissent les émotions perturbatrices. Leurs effets sont étonnants. Elles peuvent pousser un maître spirituel à se quereller avec d'autres pour attirer plus de disciples. En pareil cas, l'attachement et l'animosité sont l'un et l'autre à l'œuvre.

Heureusement, il existe un pouvoir capable de combattre ces émotions perturbatrices : il s'agit de la sagesse. Cette sagesse gagne en clarté et en acuité lorsque nous recourons à l'analyse et à l'investigation. La sagesse est vigoureuse et résistante. D'autre part, un esprit ignorant, même s'il est rusé, ne peut pas résister à l'analyse. Soumis à une investigation intelligente, il s'effondre. Comprendre ces faits nous donne la confiance nécessaire pour affronter les problèmes suscités par les émotions perturbatrices. À force d'étude et de réflexion, nous pouvons acquérir une bonne compréhension de la sagesse et des émotions perturbatrices telles que l'hostilité et l'attachement, qui sont le fruit d'un esprit persuadé que les choses ont une existence réelle, conforme à leur apparence. L'esprit capable de saisir ce qu'est l'existence véritable est extrêmement actif, énergique et habile. Mais son compagnon de route, l'égocentrisme, est tout aussi vigoureux et têtu. Nous sommes depuis trop longtemps totalement soumis à son emprise. Il se pose toujours en ami, en soutien, en protecteur. Mais en déployant une attention judicieuse, nous devrions savoir cultiver cette sagesse qui comprend que l'existence des choses n'est pas liée à leur apparence, qu'elles sont dénuées d'existence véridique : c'est ce qu'on appelle la sagesse de la vacuité. Grâce à cette arme, et grâce à des efforts soutenus, nous parviendrons à tenir en échec ces émotions perturbatrices.

Les imperfections auxquelles nous faisons allusion et qui sont source de souffrances sont donc le karma et les émotions perturbatrices, ainsi que les empreintes qu'ils laissent derrière eux. On ne peut éliminer ces imperfections qu'en appliquant les antidotes appropriés. L'empreinte laissée par des émotions perturbatrices empêche les individus d'accéder à l'omniscience. La conscience, de par sa nature même, a la possibilité d'accéder à la connaissance globale, mais ces imperfections obscurcissent l'esprit et lui en barrent l'accès. C'est donc à l'esprit qu'il revient d'éliminer ces formes d'obstruction en mettant en œuvre les stratégies voulues pour les contrecarrer. Lorsque la conscience d'un individu est libre de toute obstruction, elle s'ouvre automatiquement de manière pleine et entière, et celui-ci accède à la plénitude de l'éveil.

L'état d'éveil ou d'illumination n'a rien d'une réalité tangible, d'une sorte de havre paradisiaque. C'est la qualité intrinsèque de l'esprit révélée dans toute l'ampleur de son potentiel positif. Pour atteindre cet état d'éveil, le pratiquant doit donc commencer par éliminer de son esprit toutes les facettes négatives, et cultiver une à une les qualités positives. Et dans ce processus d'élimination des pulsions négatives et obscurantistes, c'est l'esprit qui applique activement l'antidote. On en arrive à un point de non-retour des émotions perturbatrices et des obstructions mentales : quoi qu'il arrive, elles ne se reproduiront plus. De la même manière, c'est l'esprit, et lui seul, qui met en œuvre le développement de la vision spirituelle et de la connaissance. L'énergie positive a beau être minime au début, le moment venu, l'esprit finit par s'immerger totalement dans la connaissance et par s'éveiller à l'état de bouddha.

Il importe de se rappeler que tout ce qu'a enseigné le Bouddha visait à aider les êtres sensibles et à les guider sur le chemin spirituel. Ses enseignements philosophiques n'étaient pas que des spéculations abstraites, mais comportaient des processus et des techniques visant à venir à bout des émotions perturbatrices. Nous pouvons vérifier par notre propre expérience l'efficacité de ces antidotes contre les émotions nocives. Le Bouddha nous a appris que, pour combattre la colère et la haine, il fallait méditer sur la bonté et l'amour. Être attentif aux aspects repoussants d'un objet contribue à nous en détacher. Il y a beaucoup d'arguments logiques mettant en évidence le caractère illusoire de la réalité apparente. Avoir la conviction de la réalité de l'existence est une preuve d'ignorance, diamétralement opposée à la sagesse qui fait prendre conscience de la vacuité.

Ces enseignements nous amènent à la conclusion que ces émotions perturbatrices ne sont que des défaillances temporaires de l'esprit et que leur éradication complète est possible. Lorsque l'esprit est libre de toute souillure, son véritable potentiel – la conscience claire et lucide – se révèle pleinement. À mesure que cette compréhension gagne en richesse, le pratiquant en vient à entrevoir l'éventualité d'atteindre le nirvâna et l'état de bouddha, et cette perspective est une merveilleuse révélation.

Même si tous les dieux de l'univers unissaient leurs forces contre vous, si tous les êtres vivants vous devenaient hostiles, ils n'auraient pas le pouvoir de vous envoyer en enfer. Les émotions négatives, en revanche, peuvent vous y faire basculer en une fraction de seconde. Voilà pourquoi elles sont, depuis la nuit des temps, notre pire ennemi, nocif et destructeur. Aucun ennemi n'est plus tenace qu'elles. Les ennemis ordinaires, eux, meurent et disparaissent. Si vous cédez aux exigences d'un ennemi ordinaire, petit à petit il deviendra un ami. Votre ennemi deviendra quelqu'un qui vous fait du bien. Mais dans le cas des émotions perturbatrices, plus vous vous fierez à elles, plus elles seront source de mal et de souffrance. Elles sont depuis toujours notre ennemi permanent, l'unique cause de nos souffrances. Tant que nous laisserons cet ennemi camper chez nous en toute tranquillité, nous ne connaîtrons pas le bonheur.

Quand vous vous battez contre un ennemi ordinaire, vous pouvez le vaincre et le bouter hors de votre pays. Les ennemis ordinaires peuvent se regrouper, se renforcer, se réarmer et repartir au combat. Mais quand c'est contre les émotions nocives que vous êtes en guerre, dès lors qu'elles sont vaincues et éliminées, elles ne peuvent plus revenir. Là est leur point faible – nous n'avons pas besoin de missiles ou de bombes nucléaires pour les détruire. Elles sont faibles parce que dès lors que nous sommes capables de voir la réalité en face et de cultiver une sagesse lucide, nous pouvons éradiquer de telles émotions. Et une fois extirpées de notre esprit, où donc peuvent-elles aller ? Elles s'évanouissent dans le vide. Elles ne peuvent pas réapparaître ailleurs et se renforcer, elles ne peuvent donc pas revenir afin de nous nuire.

Aucune des émotions perturbatrices ne jouit d'une existence indépendante. Lorsque des émotions comme la colère et l'attachement surgissent dans notre esprit, elles sont assez puissantes pour le perturber durablement. Et pourtant, en y regardant de plus près, elles n'ont pas de repaire identifiable. Elles ne résident pas dans le corps et ne font pas partie de nos facultés sensorielles. Si vous les cherchez parmi les éléments physiques et mentaux dont nous sommes faits, ou en dehors de ceux-ci, vous ne les trouverez nulle part. Elles sont une sorte d'illusion.

Pourquoi, dans ce cas, leur donner le droit de nous précipiter en enfer ?

## Soutenir l'attention

Les expériences, positives comme négatives, prennent leur source dans l'esprit, qu'il ait accompli ou non sa transformation. Il est donc capital de le contrôler et de le discipliner. Toutes les peurs et toutes les incommensurables souffrances que nous rencontrons ont leur source dans l'esprit. Le Bouddha nous a appris qu'il n'existait pas d'ennemi plus puissant que l'esprit. Dans toutes les sphères de l'existence, il n'existe rien de plus effroyable, de plus terrifiant que l'esprit. Le Bouddha dit aussi qu'un esprit discipliné suscite d'excellentes qualités. La source, la cause de la paix et du bonheur n'est autre que l'esprit. Le bonheur naît de pratiques vertueuses, les souffrances, de pratiques négatives. Le bonheur et la souffrance dépendent donc de la transformation effective ou non de votre esprit. Même à court terme, mieux vous contrôlerez et disciplinerez votre esprit, plus vous serez heureux et détendu.

Une fois accomplie la transformation intérieure de votre esprit, même si tout l'univers semble hostile et monté contre vous à l'instar d'un ennemi, vous ne vous sentirez ni menacé ni malheureux. En revanche, si vous êtes intérieurement perturbé et agité, même les mets les plus délicieux ne vous procureront pas le moindre plaisir. Si des choses agréables vous parviennent à l'oreille, vous n'en éprouverez aucune joie. Et donc, selon que votre esprit obéit ou non à une discipline, vous éprouverez du bonheur ou de la souffrance.

Une fois votre esprit transformé de sorte que vous soyez exempt de possessivité ou de désirs insatiables, vous atteindrez la perfection du don – c'est-à-dire la capacité d'offrir à tous les êtres sensibles tout ce que vous avez, ainsi que les résultats positifs de cette offrande. Cette pratique dépend entièrement de l'esprit. Il en va de même en ce qui concerne la perfection de l'éthique.

Atteindre à la perfection de l'éthique signifie que vous accédez à un état d'esprit où l'on s'abstient de faire quelque mal que ce soit aux êtres sensibles. C'est un état totalement libre de tout égocentrisme. La pratique de la patience est du même ordre. Le nombre d'êtres indisciplinés est aussi incommensurable que l'étendue de l'univers. Pourtant, dès lors que vous contrôlez votre propre mental, tout se passe comme si vous aviez anéanti tous vos ennemis extérieurs. Si votre esprit est calme, même dans un environnement hostile, vous ne serez pas perturbé. Mais de là à revêtir de cuir la surface du globe pour protéger vos pieds des épines, il y a une marge !

Si vous voulez protéger votre esprit, vous devez vous efforcer de maintenir votre vigilance. Lorsque vous êtes inattentif, et que votre vigilance se dégrade, les mérites que vous avez engrangés dans le passé seront perdus, comme si des voleurs les avaient dérobés. Et vous tomberez par conséquent dans un mode d'existence défavorable. Les émotions perturbatrices sont comme des cambrioleurs, comme des voleurs. Elles sont toujours aux aguets, à l'affût d'une occasion. Si elles la trouvent, elles la mettent à profit et vous subtilisent votre vertu. Elles réduisent à néant votre existence heureuse. Il ne faut donc jamais laisser faiblir votre attention. Si par moments elle vous échappe, restaurez votre vigilance en vous remémorant les souffrances sans fin du cycle de l'existence.

Quelles sont les méthodes permettant de maintenir l'attention et la vigilance ? Il faut entrer en contact avec des maîtres spirituels et écouter les enseignements, afin de savoir ce qu'il convient de mettre en pratique et ce à quoi il faut renoncer. Plus vous aurez de respect pour les enseignements, plus vous serez attentif. En fréquentant de vrais amis, vous resterez naturellement vigilant. Vous pourrez découvrir ce à quoi il faut renoncer et ce qu'il faut mettre en pratique en écoutant les enseignements et en suivant l'exemple de vrais amis. En réfléchissant à l'explication de l'impermanence et de sa nature, vous cultiverez la crainte dans votre esprit. Sous l'effet de cette crainte, qui est une véritable chance, chacun deviendra très vite capable de vigilance.

L'autre méthode pour cultiver l'attention consiste à se rappeler que les bouddhas et les bodhisattvas ont un esprit omniscient. Ils savent en permanence ce que vous êtes en train de faire ; le rappel de leur présence vous rendra plus attentifs. Vous aurez honte d'agir de façon négative. Les Bouddhas et les bodhisattvas étant doués d'une perception sans faille, on ne peut rien leur cacher. Comprendre cet état de fait et demeurer dans une attitude de respect constitue la pratique de remémoration des bouddhas. En général, nous avons tendance à croire que les bouddhas et les bodhisattvas ne feront attention à nous que si nous récitons une prière, leur adressons une demande ou invoquons leur nom. C'est une erreur. L'esprit omniscient du Bouddha traverse tout, jusqu'aux plus infimes particules. Autrement dit, l'esprit du Bouddha a conscience de tous les phénomènes, en tout temps et en tout lieu. Comprendre que vous êtes constamment en présence des bouddhas omniscients est une manière de se remémorer le Bouddha et ses qualités. C'est très important pour votre pratique quotidienne.

Si vous êtes attentif, lorsqu'une de ces fâcheuses tendances est sur le point de se manifester, vous serez en mesure de vous maîtriser. Admettons, par exemple, qu'au cours d'une conversation la colère contre votre interlocuteur monte en vous. Votre attention vigilante vous soufflera de couper court à la conversation ou de changer de sujet. Dites-vous que même si l'autre est déraisonnable et tient des propos provocateurs, il ne sert à rien de lui rendre la pareille. Au lieu de vous appesantir sur cet état de fait, orientez votre esprit vers les points positifs que possède cette personne. Cela contribuera aussi à réduire votre colère.

Un esprit lourd et maladroit se laisse intoxiquer par les émotions perturbatrices, il faut donc qu'il soit étroitement soudé à ce solide repère qu'est la pratique spirituelle. Faites l'effort d'examiner votre esprit à fond et tâchez de l'empêcher de vagabonder, ne serait-ce qu'un instant. Surveillez de près ce qu'il va faire et ce qu'il est en train de faire. Quand vous vous apprêtez à méditer, par exemple, dans les premiers temps, vous devez cultiver l'intention d'être vigilant et de ne pas vous laisser distraire. Vous pouvez grâce à cela réussir à méditer environ un quart d'heure d'affilée sans être distrait. Une fois habitué, vous pourrez allonger la durée de la séance.

Bien sûr, il n'est pas facile de contrôler son esprit et de le garder fixé sur l'objet de sa méditation. Il est difficile de le plier à votre volonté, mais peu à peu, l'habitude aidant, vous réussirez de mieux en mieux. Vous pouvez recourir à toutes les techniques susceptibles de vous aider dans ce contrôle mental. Par exemple, le fait d'être assis face à un mur peut éventuellement faciliter le contrôle de vos instants de distraction au cours de certaines méditations. Fermer les yeux peut parfois être une aide. À d'autres moments, il peut être préférable de les garder ouverts. Tout dépend de vos inclinations personnelles et du contexte dans lequel vous vous trouvez.

Tels sont donc les moyens de rester vigilant, de vous protéger des émotions gênantes et d'éviter de vous lancer dans une activité dénuée de sens. Si vous voulez aller quelque part ou dire quelque chose, déterminez d'abord si c'est opportun ou non. Lorsque vous sentez poindre en vous l'attachement, ou monter la colère contre quelqu'un, ne faites rien : ne parlez pas, ne pensez pas, soyez impassible ; restez de bois. Si vous vous sentez prêt à éclater de rire inconsidérément, ou que vous avez envie de vous vanter, ou de commenter les défauts des autres, ou envie de les tromper, ou de tenir des propos indus, ou de faire des remarques ironiques, ou de chanter vos propres louanges et de critiquer ou réprimander autrui, dans ces circonstances-là, restez de bois. Si vous vous apercevez que vous avez soif de possessions, de respect, de notoriété et de renommée, ou que vous aimeriez vous entourer d'une petite cour de disciples, restez de bois. Si vous vous rendez compte que vous avez tendance à négliger les projets d'autrui, tout en aspirant à réaliser les vôtres, et qu'en outre vous tenez à en parler, restez de bois. Quand vous avez tendance à l'impatience, à la paresse, à l'abattement, aux remarques présomptueuses, ou à l'autosatisfaction, restez de bois.

Gardez votre vigilance et devenez habile à discerner les choses à mettre en pratique de celles à abandonner. Ayez la confiance suffisante pour vous engager dans des activités positives sans dépendre uniquement du soutien d'autrui. Ne renoncez pas à une pratique majeure pour une pratique d'importance mineure. L'essentiel est que vos actions, quelles qu'elles soient, visent au bien-être et à la satisfaction des vœux d'autrui. Une fois compris ce point crucial, nous devons faire des efforts constants à l'intention d'autrui. C'est ce qu'a enseigné le Bouddha compatissant, qui voyait loin, et savait ce qui serait utile à long terme comme à court terme. Voilà pourquoi ses conseils sont loin d'être rigides, et un bodhisattva qui œuvre constamment en vue du bien d'autrui a quelquefois le droit de faire des choses normalement interdites.

Il est dans la nature même de l'esprit que plus une action lui devient familière, plus il lui est facile de l'exécuter. Si nous parvenons à considérer la souffrance sous un angle différent, nous serons capables de supporter des degrés de souffrance encore plus élevés. L'habitude aidant, tout devient plus facile. Si nous nous habituons à endurer de petites misères, nous deviendrons peu à peu plus résistants à des douleurs plus grandes. On voit tant de personnes supporter, en vaquant aux activités de leur vie quotidienne, les attaques d'insectes, l'inconfort de la faim et de la soif ou les piqûres d'épines qui les égratignent. Ces souffrances sans grande portée leur paraissent faciles à endurer une fois qu'elles y sont habituées. Donc, lorsque nous sommes face à des problèmes mineurs liés au froid ou à la chaleur, au vent et à la pluie, à la maladie ou à des blessures, geindre ne fera qu'aggraver le problème. À la vue de leur propre sang, certains, au lieu de paniquer, deviennent encore plus courageux.

D'autres s'évanouissent – surtout si c'est le leur ! Les différences de réactions s'expliquent par des niveaux inégaux de stabilité mentale. Certains sont résolus, d'autres, tout à fait lâches. En apprenant à affronter volontairement des problèmes mineurs, vous deviendrez peu à peu invincibles face aux divers niveaux de souffrance. Telle est la voie suivie par les sages qui, face à la souffrance, ne laissent jamais le trouble envahir leur esprit.

C'est par l'intermédiaire des cinq organes des sens que tout être voit, entend, sent, goûte et entre en contact avec une foule de formes et d'objets extérieurs, ainsi que d'impressions. Faisons en sorte que les sensations liées à la forme, au son, à l'odeur, au goût et au toucher, ainsi que les activités mentales –, bref, que tout ce qui est en relation avec nos six sens, soit mis hors circuit. Cela étant fait, le souvenir des événements passés sur lesquels l'esprit a tendance à s'appesantir se dissipera totalement et le flux de la mémoire s'interrompra. De même, il ne faut laisser surgir dans notre esprit nul projet d'avenir, nulle contemplation d'actions futures. Il est nécessaire de créer un vide en lieu et place de tous ces processus de pensée. Une fois le mental libéré de tous ces processus, il ne restera plus qu'un esprit pur, net, précis et tranquille.

# 6

## COMMENT MÉDITER

L'essence des enseignements bouddhiques peut être ainsi résumée : c'est la conscience de l'interdépendance, associée à une conduite non violente. Ce sont ces fondements essentiels que j'aimerais vous voir retenir. Il n'y a pas de phénomène fonctionnel qui existe de manière indépendante ou isolée. Tous les phénomènes dépendent d'autres facteurs. Les choses sont interdépendantes. Par exemple, la paix au sein d'une nation dépend de l'attitude des pays voisins et de la sécurité globale dans le monde. Le bonheur d'une famille dépend de ses voisins et de l'ensemble de la société. Les bouddhistes croient en la théorie d'une origine contingente des phénomènes, et pas en un créateur tout-puissant, ni dans l'apparition de phénomènes exempts de cause originelle.

Lorsqu'on oublie les principes éthiques de base, et que l'on agit de manière égoïste, il en découle des conséquences déplaisantes. Lorsque vous pensez que vos voisins n'ont rien à voir avec votre propre bonheur, vous les maltraitez. Vous malmenez les uns et vous intimidez et maudissez les autres. Peut-on espérer une atmosphère de paix et d'harmonie au sein d'un tel voisinage ? De toute évidence, la réponse est non. Lorsque vous nourrissez de mauvaises pensées telles que l'hostilité et la haine, il n'y a pas de joie dans votre cœur et vous êtes un fléau pour les autres. À l'inverse, si vous cultivez la bonté, la patience, la compréhension, toute l'atmosphère change. Notre texte « Les sept points de l'entraînement de l'esprit » (chapitre 7) dit qu'il faut vous entraîner d'abord aux pratiques préliminaires.

Il y a quatre pratiques préliminaires, qui consistent à réfléchir d'abord sur le caractère de rareté et sur le potentiel de l'existence en tant qu'être humain libre et privilégié ; à réfléchir ensuite sur la mort et sur l'impermanence, puis sur les actions et leurs conséquences, et enfin sur les aspects négatifs de l'existence cyclique. Par exemple, en réfléchissant au caractère de rareté et au potentiel de votre existence d'être humain libre et privilégié, vous surmontez votre obsession à l'égard des plaisirs temporels de la vie actuelle. En méditant sur la mort et sur l'impermanence, vous surmontez votre attirance pour une renaissance favorable dans des vies ultérieures.

Des activités d'ordre divers doivent être effectuées au cours de la séance de méditation proprement dite et des périodes lui faisant suite. Nous essayons en principe de nous concentrer au maximum pendant la méditation. Mais si, après avoir médité, nous laissons notre esprit baisser sa garde et se distraire, cela nuira à notre progrès. Les pratiques postméditatives sont donc recommandées.

La méditation sous-entend de créer un lien de familiarité constante avec un objet vertueux, dans le dessein de transformer son esprit. Le simple fait de comprendre un point particulier ne suffit pas à transformer l'esprit. Certes, vous pouvez percevoir intellectuellement les avantages d'un éveil de l'esprit à l'altruisme, mais cela n'affecte en rien votre attitude égocentrique. Votre égocentrisme ne se dissipera qu'en vous familiarisant avec cette compréhension de manière assidue. C'est ce qu'on entend par méditation.

La méditation peut être de deux ordres. La méditation analytique utilise l'analyse et la réflexion, alors que dans la méditation focalisée sur un point unique, l'esprit s'attarde sur ce qui a été compris. Lorsque vous méditez sur l'amour et la compassion, vous essayez de cultiver mentalement cette attitude, en pensant : « Que tous les êtres animés soient libérés de toute souffrance. » Alors que si vous méditez sur le vide ou sur l'impermanence, vous prenez le vide ou l'impermanence pour objet de méditation.

Dans cette démarche d'entraînement de l'esprit, nous insistons sur la nécessité des pratiques préliminaires, telles que la méditation sur la mort et sur l'impermanence, afin de nous inciter à effectuer la pratique principale. Lorsque vous entamez ces méditations, analysez d'abord le sujet. Une fois parvenu à une certaine conclusion, gardez-la présente à l'esprit et concentrez-vous un certain temps sur elle. Quand vous vous apercevez que votre concentration faiblit, revenez à l'analyse. Vous pouvez poursuivre ce même cycle méditatif jusqu'à ce que vous constatiez certains effets au sein de votre esprit. Ensuite, modifiez les schémas de raisonnement utilisés, comme l'indiquent des textes anciens tels que le *Guide du chemin de vie du bodhisattva* ou la *Précieuse Guirlande*, œuvre de Nagarjuna, pour ne citer que ceux-ci. Il en va de même pour les médicaments : lorsqu'on en essaie plusieurs, on peut trouver certains plus efficaces que d'autres. Si vous vous en tenez obstinément à la même routine dans la méditation, cela peut ne pas être d'une grande utilité. Il ne faut pas ménager ses efforts. Voilà pourquoi l'étude est indispensable. Méditer sans étude préalable, c'est comme vouloir escalader une falaise sans l'aide de ses mains.

## Posture et respiration

Avant d'expliquer la posture et la technique respiratoire correctes pour la méditation, j'aimerais aborder la question de l'environnement propice à votre pratique. Pour le débutant, le cadre dans lequel a lieu la méditation est important. Une fois acquise une certaine expérience, les facteurs extérieurs ont très peu d'influence. Mais, en règle générale, le lieu de méditation doit être calme. Lorsque nous méditons sur un point unique, nous avons besoin d'être dans un lieu complètement isolé et dépourvu de bruit. La propreté du lieu où vous méditez compte aussi. On ne le nettoie pas seulement pour des raisons de convention sociale, mais aussi dans le but d'induire un effet psychologique de clarté accrue. Comme l'a dit Potowa (1031-1105), l'un des principaux disciples d'Atisha : « Dès lors que le méditant a atteint un niveau élevé, chacune de ses actions peut devenir un stimulant pour sa pratique. » Donc, lorsque vous nettoyez les lieux, voyez dans cet acte un rappel du fait qu'en réalité, ce qui doit être purifié, c'est l'esprit.

Pour maintenir la posture physique correcte pendant la méditation, la partie arrière du siège de méditation devrait être légèrement surélevée : cela contribue à réduire les tensions. La position du lotus (ou *vajra*) est très difficile, mais, à condition qu'elle soit indolore, c'est celle qui convient le mieux. Sinon, vous pouvez adopter la position du demi-lotus ou la posture d'Arya Tara (jambe droite allongée, jambe gauche repliée en posture de méditation), qui est très confortable.

Le *mudra* (ou geste) correct est celui où le dos de la main droite repose dans la paume de la main gauche ; les deux pouces sont tendus vers le haut et se touchent en formant un triangle. Le triangle a une signification tantrique, il symbolise le royaume de la vérité, la source du réel et aussi la chaleur intérieure au niveau du nombril.

Les bras ne doivent pas toucher le corps. La tête est légèrement inclinée en avant, le bout de la langue touchant le palais, ce qui évite au méditant d'avoir soif ou de baver lorsqu'il se plonge dans une concentration profonde sur un point unique. Les lèvres et les mâchoires doivent rester dans une position naturelle, les yeux sont fixés sur le bout du nez. Pour ce qui est de la position des yeux, au début, la visualisation peut être plus claire en les gardant fermés, mais en définitive ce n'est pas bon. La visualisation s'effectue sur le plan mental et non sensoriel. Si vous vous entraînez à méditer les yeux ouverts, vous ne perdrez pas l'image mentale sur laquelle vous méditez. En revanche, si vous vous entraînez et vous habituez à méditer les yeux fermés, l'image mentale vous échappera dès que vous ouvrirez les yeux.

Pendant la méditation, votre respiration doit rester naturelle. Il ne faut pas respirer violemment, mais pas trop doucement non plus. Si vous êtes dans un état d'esprit instable, comme lorsque vous êtes ou que vous vous mettez en colère, un bon moyen de revenir au calme est de vous concentrer sur la respiration. Comptez les mouvements respiratoires, en oubliant complètement la colère. Concentrez-vous sur votre souffle, et comptez les inspirations et les expirations : « 1, 2, 3 » – jusqu'à 20. Dans ces instants-là, où votre esprit est pleinement concentré sur votre souffle, sur ses allées et venues, les passions se calment. Et il est plus facile ensuite de penser clairement.

Étant donné que toutes les activités, y compris la méditation, dépendent énormément de la force de l'intention ou de la motivation qui les sous-tend, il importe, avant de vous mettre à méditer, de cultiver la motivation adéquate. Cependant, cette motivation ne doit pas être influencée par l'unique souci de la perfection et du bonheur de la vie samsarique. La motivation correcte, c'est l'attitude altruiste.

## Demeurer dans le calme

En avançant dans la pratique de la méditation, il faut progresser dans l'entraînement à la stabilisation méditative, qui est la capacité de l'esprit fixé en un point unique à rester concentré sur son objet. Il existe de nombreuses formes de stabilisation méditative, mais éclaircissons ici celle qui consiste à demeurer dans le calme mental (*shamata*). La nature de cette pratique consiste à maintenir sur un objet donné, et ce sans la moindre distraction, une focalisation de l'esprit associée à une docilité physique et mentale qui est source de félicité. Si en même temps on prend refuge, c'est une pratique bouddhique, et si elle s'accompagne d'une aspiration au plus haut degré de l'éveil, au bénéfice de tous les êtres sensibles, c'est une pratique du mahayana – le grand véhicule. Son mérite réside dans le fait que si l'on est parvenu à la sérénité de l'esprit, le corps et l'esprit sont envahis d'une joie et d'un bonheur intenses : on peut, grâce au pouvoir de son agilité mentale et physique, fixer à l'esprit un objectif vertueux de son choix, et accéder à des aptitudes spéciales telles que la clairvoyance et autres manifestations supranormales. Mais le but et l'avantage essentiels du maintien du calme mental font que que, grâce à lui, on peut parvenir à une vision pénétrante particulière (*vipasyana*) qui permet la réalisation de la vacuité et peut ainsi amener à être libéré du cycle de l'existence.

Pour parvenir au calme mental, il faudrait pouvoir disposer de toutes les conditions requises décrites ci-après. Le lieu où l'on médite doit être dépourvu de bruit, celui-ci faisant obstacle à la concentration ; l'environnement doit être agréable, et l'eau doit être saine. Le méditant lui-même doit être peu exigeant, satisfait, libéré du brouhaha et de l'affairement du monde, et s'abstenir d'actes non vertueux sur le plan physique et verbal. Grâce à l'écoute et à la réflexion, il doit avoir éliminé les fausses conceptions concernant les sujets de méditation ; il doit savoir réfléchir sur les défaillances liées au désir, sur le sens de l'impermanence, et ainsi de suite.

En ce qui concerne la pratique proprement dite du maintien du calme mental, voici ce qu'en dit Maitreya Bodhisattva, le futur Bouddha (dans sa *Distinction entre la voie médiane et les extrêmes,* ou *Madhyantavibhanga*) : le calme mental est le résultat obtenu grâce au renoncement aux cinq tendances négatives et à l'application des huit antidotes.

Les cinq tendances auxquelles il faut renoncer sont :
• La paresse : le fait de ne pas avoir envie de cultiver la stabilisation méditative.
• L'oubli : le fait de ne pas se souvenir de l'objet de méditation.
• L'état de léthargie ou d'excitation : ce sont des ruptures de continuité dans la méditation.
• La non-application des antidotes : elle a lieu lorsqu'on entre en état de léthargie ou d'excitation.

• Le recours excessif aux antidotes : on persiste à recourir à un antidote alors que la léthargie ou l'excitation ont disparu.

Huit antidotes permettent de remédier à ces tendances négatives.

Les antidotes à la paresse sont :

• La foi : la perception des aspects positifs de la stabilisation méditative.

• L'aspiration : la quête de l'accession à ces aspects positifs.

• L'effort : l'enthousiasme à s'engager dans la stabilisation méditative.

• La souplesse physique et mentale : elle est le fruit de l'effort.

L'antidote à l'oubli est :

• La vigilance : le maintien de la concentration sans faille sur un objet.

L'antidote à la léthargie et à l'excitation est :

• La prise de conscience : le fait de savoir que la léthargie ou l'excitation se sont manifestées ou sont en train de le faire.

L'antidote à la non-application est :

• L'application : le recours aux antidotes contre la léthargie ou l'excitation.

L'antidote au recours excessif est :

• La cessation du recours à un antidote : on relâche son effort.

## Les différents états de concentration

L'application des huit antidotes permet d'éliminer progressivement les cinq tendances négatives, et l'on passe par neuf états distincts de concentration, consistant à :

• Instaurer la concentration de l'esprit : se concentrer et visualiser un objet interne (tel que la forme visualisée du Bouddha).

• Maintenir la concentration : prolonger celle-ci sur l'objet choisi de manière plus intense que dans l'état précédent.

- Rétablir la concentration : reconnaître immédiatement la distraction et revenir à l'objet.
- Accroître le degré de concentration : la concentration portant sur les aspects les plus grossiers (ceux de l'objet de méditation visualisé) vient se fixer avec une stabilité de plus en plus grande sur des aspects plus subtils (les détails de l'objet).
- Discipliner l'esprit : connaître les qualités positives de la stabilisation méditative, et s'en réjouir.
- Pacifier l'esprit : en finir avec les réticences quant à la stabilisation méditative.
- Confirmer la pacification : s'efforcer de se défaire des plus infimes traces de léthargie et d'excitation dès lors qu'elles se manifestent.
- Se concentrer sur un point : générer une stabilisation méditative continue de sorte qu'aucun facteur contraire ne puisse interrompre le processus méditatif.
- Introduire l'équanimité : rester fixé sur l'objet de méditation sans recourir à un effort délibéré d'attention ou de perception.

Les neuf états de concentration décrits ci-dessus s'atteignent grâce aux six pouvoirs : on accède au premier de ces états grâce au pouvoir de l'écoute, au deuxième grâce au pouvoir de la pensée, au troisième et au quatrième grâce au pouvoir de la vigilance. On accède au cinquième et au sixième grâce au pouvoir de la familiarité acquise.

Le passage par ces neuf stades différents de concentration correspond à quatre périodes d'activité mentale (qui sont les voies par lesquelles l'esprit aborde l'objet) :

- La concentration imposée : au cours du premier et du deuxième stade, l'esprit fait des efforts laborieux pour se concentrer sur l'objet.
- La concentration interrompue : du troisième au septième stade, la concentration est intermittente.
- La concentration ininterrompue : au cours du huitième stade, l'esprit est capable de rester focalisé sur son objet sans interruption.

• La concentration spontanée : à ce stade-là (le neu-
vième), l'esprit reste naturellement fixé sur son objet de
méditation, sans effort particulier.

Si l'on a une connaissance fiable de la nature et de
l'ordre de ces différents niveaux de concentration, ainsi
que des différences existant entre les niveaux précédemment expliqués, et si l'on s'entraîne à demeurer dans le
calme, on peut facilement parvenir à la stabilisation méditative dans un délai d'environ un an.

Nous avons abordé le sujet de l'instauration du calme
telle qu'elle s'applique aux objets en général. D'un point
de vue plus particulier, si l'on s'entraîne à demeurer dans
le calme en prenant pour objet de méditation l'esprit lui-
même, cela offre des avantages supplémentaires. Nous
nous identifions à notre propre esprit. Or l'esprit est aussi
vacant que l'espace : il ne possède aucune qualité matérielle telle que la forme ou l'apparence physique. L'esprit
n'est rien d'autre que ce quelque chose qui perçoit en
toute clarté les aspects d'un objet, quels qu'ils soient, tels
qu'ils lui apparaissent. Dès lors qu'on a identifié ces caractéristiques de l'esprit, on s'engage dans l'état temporel,
l'abandon des cinq tendances négatives, l'application des
huit antidotes, et ainsi de suite, comme nous l'avons expliqué plus haut. C'est ainsi que l'on s'entraîne à demeurer
dans le calme.

Je n'ai fait ici qu'énumérer les éléments de cette instauration du calme en donnant un abrégé très succinct des
enseignements bouddhiques anciens. On évalue les progrès dans cette instauration du calme en fonction de la
souplesse acquise sur le plan physique et mental, jusqu'à
accéder à une souplesse inamovible, qui est une focalisation absolue de l'esprit sur l'objet de méditation. À ce
moment-là, on accède au calme véritable, qui fait partie
du stade de préparation à la première concentration. Cette
concentration appartient à l'une des trois sphères men-
tionnées – celle de la forme. Ayant atteint cet état de
calme mental, l'esprit est devenu docile, et quel que soit
le type d'objet ou de motif vertueux sur lequel il médite,

sa focalisation reste parfaite. Il tire de cette pratique une force qui lui confère une immense capacité d'appréhension du sens.

# 7

## L'ÉVEIL DE L'ESPRIT

L'éveil de l'esprit est l'intention d'accéder à la bouddhéité afin de libérer de la souffrance tous les êtres présents dans l'univers. Pour développer cet éveil de l'esprit,
nous devons méditer ; il ne suffit pas, pour y parvenir, de
se contenter d'y rêver très fort, de dire des prières ou
d'avoir une approche purement intellectuelle de ce que
signifie un tel éveil. Il ne se cultive pas non plus grâce
aux bénédictions reçues, mais par la méditation et une
pratique assidue et prolongée. Pour être en mesure de
méditer de manière soutenue sur l'éveil de l'esprit, nous
devons d'abord savoir apprécier les bénéfices qu'il y a à
cultiver cette attitude. Nous devons développer en nous
un intense désir de favoriser l'éveil de l'esprit et le considérer comme une nécessité urgente.

L'utilité de cultiver la bonté du cœur ne fait aucun
doute, mais la question est de savoir comment s'y
prendre. Lorsqu'il s'agit de l'entraînement de l'esprit, la
notion de « bon cœur » s'applique précisément à l'esprit
en voie d'éveil, qui est la quintessence, la forme suprême et
ultime du « bon cœur » ; c'est un esprit dont la bonté, sans
limites, est doublée de sagesse. Les écritures expliquent
que l'esprit en voie d'éveil a deux aspirations : l'aspiration
à réaliser les projets d'autrui, étayée par l'aspiration à
accéder à l'état de bouddha.

Que signifie cette expression : « doublée de sagesse » ?
Prenons l'exemple d'un esprit qui prend refuge dans le
Bouddha. Cette attitude d'esprit peut sous-entendre que

l'on reconnaît le Bouddha comme objet ultime de refuge, exempt de tout défaut et possédant toutes les qualités. Cela pourrait signifier simplement qu'on reconnaît en lui un être saint et précieux. On pourrait en faire une question de foi. Mais il existe aussi une autre manière de prendre refuge, fondée sur l'analyse et l'investigation concernant la nature d'un tel bouddha et la possibilité de son existence. À l'issue d'un tel examen, nous pouvons en venir à la compréhension de l'existence possible d'un tel bouddha. Nous en arrivons à comprendre la nature de ce bouddha, le fait qu'il (ou elle) possède un esprit doté de qualités uniques, libre de toute obstruction. Et ayant compris ce qu'implique l'existence de ce bouddha supérieur, nous pouvons prendre refuge dans le Bouddha en cultivant un sentiment venu du plus profond de nous et fondé sur une conviction. Cette attitude est beaucoup plus stable que la simple foi.

Voici à quoi ressemble la culture de l'éveil de l'esprit : il peut exister un bodhisattva qui, tout en n'ayant pas encore compris la vacuité, serait en même temps animé d'une aspiration sincère à la réalisation des objectifs et des souhaits des êtres sensibles. Se fondant sur cette aspiration, il (ou elle) pourrait générer un esprit qui aspire à la bouddhéité pour le plus grand bien de tous les êtres sensibles. Mais, d'ordinaire, quand nous parlons d'éveil de l'esprit, au fond toute la question est de savoir si les souffrances des innombrables êtres doués de perception peuvent être éliminées et, si tel est le cas, de déterminer les moyens d'y parvenir. À la lumière de ces réflexions et de ces considérations, nous examinons le sens de l'éveil, tel que le décrivent ces vers :

*« La compassion se focalise sur les êtres sensibles*
*Et la sagesse se focalise sur l'éveil. »*

Lorsque nous cultivons la noble ouverture de l'esprit qui désire atteindre l'éveil au profit de l'ensemble des êtres sensibles, en sachant en outre que l'éveil est accessible, l'esprit devient merveilleux de courage.

Lorsque nous entraînons notre esprit à s'éveiller, nous devons l'entraîner dans le sens de ces deux aspirations : l'aspiration à la bouddhéité et l'aspiration à agir pour le bien d'autrui. La source d'une telle attitude, où l'esprit en voie d'éveil se soucie plus des autres que de lui-même, n'est autre que la compassion. En cultivant une compassion authentique, nous entraînons notre mental à rester profondément attentif aux souffrances des êtres sensibles dans l'affliction, et à considérer les êtres qui sont en proie à la souffrance comme étant agréables à fréquenter et dignes d'amour. Mais, en même temps, nous devons être capables de percer à jour la nature de la souffrance qui afflige ces êtres. Nous devons nous entraîner séparément à suivre ces deux orientations.

## La semence de bouddhéité

La voie du grand véhicule (ou bouddhisme mahayana) n'a qu'un seul et unique accès qui passe par l'éveil de l'esprit. Le grand véhicule ne connaît que deux voies : la voie du sutra et la voie du tantra. Quel que soit votre choix, la seule et unique clé d'accès est l'éveil de l'esprit. Lorsque vous êtes en possession de cet état d'éveil, vous faites partie du grand véhicule, mais au moindre renoncement, vous vous en excluez. Dès lors que vous suscitez cet état d'éveil, même si vous êtes aux prises avec les souffrances du cycle de l'existence, vous deviendrez un objet de respect même pour les bouddhas, qui sont eux-mêmes éveillés. Un simple éclat de diamant est un magnifique joyau qui surpasse tous les autres ornements, et l'esprit d'éveil, même lorsqu'il est faible, dépasse par son éclat, à l'image du diamant, toutes les qualités possédées par ceux qui sont en quête de libération personnelle. Le philosophe bouddhiste Nagarjuna dit, dans *La Précieuse Guirlande,* que si l'on souhaite atteindre l'insurpassable état d'illumination suprême, la source en est l'éveil de l'esprit. Il vous faut donc faire éclore un esprit d'éveil aussi inébranlable que la montagne reine.

Ceux qui n'ont pas développé cette qualité d'esprit ne peuvent pas accéder aux pratiques secrètes du tantra. L'accès aux enseignements tantriques est réservé à ceux qui ont reçu l'initiation et la transmission du pouvoir, et si vous n'êtes pas en possession de cet esprit d'éveil, vous ne pouvez pas recevoir l'initiation tantrique. Nous déclarons sans ambiguïté que l'accès au véhicule secret dépend de la possession de l'esprit d'éveil.

L'esprit d'éveil est comme une graine semée en vue de l'accession à l'état de bouddha. C'est comme un champ dans lequel on cultive toutes les qualités positives. C'est comme un sol stable sur quoi tout repose. C'est comme le dieu de la richesse éliminant toute pauvreté. C'est comme un père protégeant tous les bodhisattvas. C'est comme un talisman comblant tous les vœux. C'est comme une coupe miraculeuse étanchant toutes vos soifs. C'est comme une lance pourfendant les émotions perturbatrices ennemies. C'est comme une armure vous protégeant de toute pensée inadéquate. C'est comme une épée qui décapite les émotions perturbatrices. C'est comme une arme parant toutes sortes d'attaques. C'est comme un harpon vous arrachant aux flots du cycle de l'existence. C'est comme l'ouragan qui disperse aux quatre vents tous les obstacles mentaux et leurs sources. C'est comme un concentré d'enseignements englobant toutes les prières et toutes les activités des bodhisattvas. C'est comme un lieu saint devant lequel chacun peut faire des offrandes.

Voilà pourquoi, ayant eu le privilège de connaître cette précieuse vie humaine, et ayant rencontré les enseignements complets du Bouddha, nous devons chérir l'esprit d'éveil au même titre qu'un trésor. Ce qui donne une telle valeur à la tradition bouddhique tibétaine est le fait qu'elle inclut des techniques précieuses visant à susciter l'éveil de l'esprit. L'existence de cette tradition d'une culture de l'amour et de la compassion et d'un souci constant du bien-être des autres est un grand privilège. Je me sens moi-même très privilégié d'être en mesure d'expliquer de tels enseignements à une époque telle que celle-ci.

De même, vous avez beaucoup de chance de pouvoir lire ces lignes évoquant une attitude dont la valeur n'a pas de prix.

Nous ne devons pas songer à l'esprit d'éveil comme étant un simple objet d'admiration, une chose qu'il convient de respecter. Cette chose, il nous incombe de la faire naître en nous-mêmes. Nous avons la capacité et le choix de le faire. Peut-être avez-vous été, dans les premiers temps de votre existence, un affreux égoïste, mais avec de la détermination vous pouvez transformer votre esprit. Vous deviendrez peut-être semblable à celui qui, d'après ce qu'en dit une certaine prière, n'a jamais pour projet d'œuvrer pour son propre profit, mais qui œuvre toujours au bénéfice d'autrui.

## Les outils pour le développement de l'esprit d'éveil

En tant qu'êtres humains, nous sommes dotés d'intelligence et de courage. Si nous savons les mettre à contribution, nous serons capables d'atteindre les objectifs que nous nous sommes fixés. Je n'ai personnellement aucune expérience d'éveil de l'esprit, mais lorsque j'avais la trentaine, j'avais coutume de réfléchir sur les quatre nobles vérités, et de comparer la possibilité d'accéder à la libération et celle de développer l'esprit d'éveil. Mais lorsque je songeais à ce dernier, il me paraissait très éloigné. Je pensais alors que cet état, qui est une merveilleuse qualité, était vraiment difficile à réaliser.

Le temps a passé, et bien que je n'aie toujours pas atteint l'éveil de l'esprit, je m'en sens tout proche. Je pense à présent que si je fais suffisamment d'efforts, je pourrais peut-être y accéder. Le fait d'en entendre parler et d'y penser me rend à la fois heureux et triste. Comme tout le monde, je passe moi aussi par des expériences négatives telles que la colère, la jalousie et l'esprit de compétition, mais l'éveil de l'esprit étant pour moi une notion familière, j'ai aussi le sentiment de m'en approcher. C'est une qualité unique de l'esprit grâce à laquelle, dès lors que vous vous familiarisez avec un objet, votre esprit acquiert une stabilité dans son rapport avec lui. À l'inverse du progrès physique, qui obéit à des limites naturelles, le développement des qualités de l'esprit ne connaît pas de bornes. L'esprit est comme un feu qui, si vous l'alimentez continuellement, grandira de plus en plus. Il n'y a rien qui ne puisse gagner en facilité grâce à la familiarité.

Le premier pas vers le développement effectif de l'éveil de l'esprit – concernant l'intérêt porté à autrui – consiste à peser les inconvénients liés à l'égocentrisme et les avantages liés à l'amour d'autrui. L'une des principales démarches dans cette direction est de se mettre à la place des autres. La façon d'aborder cette pratique peut être expliquée de différentes manières. Mais toutes les explications ont un facteur commun : il faut dès le départ regarder avec affection les êtres sensibles. Nous devons songer à eux comme étant des êtres agréables et attirants, et nous efforcer de cultiver un fort sentiment d'affection envers eux. Il faut pour cela générer en nous un sentiment d'équanimité qui régule les émotions fluctuantes que nous éprouvons à l'égard des autres êtres.

Pour ce faire, voici un exercice très utile : vous visualisez trois personnes en face de vous, dont l'une est un membre de votre famille ou un ami, l'autre un ennemi, et la troisième quelqu'un envers qui vous avez une attitude neutre. Observez votre réaction spontanée envers eux. Nous avons généralement tendance à nous sentir proches de nos parents, distants par rapport à nos ennemis, et indifférents à tous les autres. Lorsque vous pensez à une amie, vous vous sentez proche d'elle, et vous êtes immédiatement soucieux de son bien-être. Lorsque vous songez à un ennemi, vous vous sentez instantanément mal à l'aise, en porte-à-faux. Vous pourriez même éventuellement vous réjouir de le voir en proie aux difficultés. Lorsque vous songez à la personne envers laquelle vous gardez une attitude neutre, vous vous apercevez qu'il vous est égal qu'elle soit heureuse ou malheureuse. Vous êtes indifférent. Lorsque vous reconnaissez les fluctuations de ces émotions, demandez-vous si elles sont oui ou non justifiées. Si vous imaginez votre amie en train de vous faire du mal, vous verrez que votre réaction envers elle changera.

Ceux que nous appelons nos amis dans la vie actuelle ne l'ont pas toujours été. Et ceux que nous considérons actuellement comme nos ennemis n'ont pas toujours été hostiles. Celui qui est dans cette vie notre parent ou notre ami a pu être un ennemi dans une vie passée. De même, celui que nous considérons comme un ennemi a pu être l'un de nos parents dans une vie antérieure. Il est donc stupide de nous occuper uniquement de ceux en qui nous voyons aujourd'hui des amis, et de faire peu de cas de ceux que nous considérons comme des ennemis. Le but recherché ici est de réduire votre attachement envers vos parents et amis, tout en réduisant votre colère et votre haine envers vos ennemis. Réfléchissez sur la notion selon laquelle il n'existe pas d'être sensible qui n'ait déjà été votre ami. C'est ainsi que l'on cultive l'équanimité envers tous les autres êtres.

De la même manière, c'est la présence des autres et elle seule qui nous met en situation de pratiquer une éthique pure, illustrée par le fait de s'abstenir de tuer, de voler ou de commettre des abus sexuels. Aucune des dix actions vertueuses ne peut être entreprise si ce n'est en relation avec d'autres êtres. De même, ce n'est que dans la relation à autrui que l'on peut cultiver la pratique de la générosité, de l'éthique et de la patience. Seule cette relation aux autres nous permet de cultiver l'amour, la compassion et l'esprit d'éveil. La compassion, par exemple, est un état d'esprit qui naît lorsque nous concentrons notre attention sur les souffrances des autres êtres sensibles, et que nous cultivons un intense désir de les voir libérés de ces souffrances. Donc, sans cet objet que constituent les autres, nous serions dans l'incapacité de cultiver la compassion.

On ne peut pas transformer l'esprit par la force, sous la menace de couteaux et de fusils. Étant dépourvu de forme et de couleur, l'esprit peut paraître faible, mais en réalité il est solide et résistant. La seule manière de changer celui-ci est de le mettre lui-même à contribution. Car seul l'esprit peut faire la distinction entre ce qu'il faut faire et ce à quoi il faut renoncer. C'est de cette manière que les ténèbres de l'ignorance peuvent être dissipées. Quand l'esprit sera capable de voir les bénéfices temporaires et ultimes liés à l'engagement dans la voie de la vertu, et les inconvénients liés aux actions nocives dénuées de vertu, nous pourrons alors agir en conséquence.

Susciter en vous l'amour et la compassion est extrêmement important pour votre pratique, du début à la fin du parcours qui vous mènera à la bouddhéité. Et ce n'est qu'en atteignant l'état de bouddha pleinement éveillé que vous aurez la capacité de réaliser les objectifs des êtres sensibles. Des pratiques telles que les quatre moyens de rassembler des disciples (en donnant, en parlant de manière agréable, en enseignant et en agissant conformément aux enseignements) et les six perfections (la générosité, la discipline, la patience, l'effort, la concentration et la sagesse) ne peuvent exister, en fait, qu'en fonction des êtres sensibles dont elles dépendent. Toutes les pratiques fructueuses du grand véhicule ont pour source le souci du bien-être de tous les autres êtres sensibles. Donc, chaque fois que votre regard s'attarde sur l'un d'entre eux, regardez-le avec amour et compassion en vous disant : « C'est d'un être tel que celui-ci que dépend la plénitude de mon éveil. »

De même que vous ferez de bonnes récoltes si vous plantez des graines saines dans une terre fertile, c'est en chérissant tous les êtres sensibles que vous récolterez la belle moisson qu'est l'état de bouddha. En chérissant le bien-être de ces êtres, vous serez à même d'accéder à la fois à une renaissance favorable et au plein éveil de bouddha. Les nombreuses formes de souffrances subies par les animaux, les fantômes affamés et les habitants de l'enfer sont le résultat du mal infligé aux êtres sensibles. Si vous négligez le bien-être des êtres sensibles, vous connaîtrez les affres de celui qui mange l'autre et de celui qui est mangé, vous connaîtrez la faim et la soif, et des souffrances accablantes et sans répit.

Donner et recevoir est une pratique qui doit être entreprise avec beaucoup de courage et de détermination. Le grand maître bouddhiste Sharawa (1070-1141) a dit que, si l'on veut vraiment accoutumer son esprit à de telles instructions, la pratique ne doit pas simplement être pareille à une pierre dévalant une pente, ou à une eau tiède stagnant dans une mare. Elle doit être rouge comme le sang et blanche comme le lait. Ce qui veut dire que, dans cet entraînement de l'esprit, il ne faut pas être tiède, hésitant ou plein d'appréhension, mais totalement engagé et déterminé. Si l'on veut y réussir, il n'est pas question de s'engager un jour dans cette pratique, pour passer le lendemain à tout autre chose.

Une fois entraîné à l'amour et à la compassion, peut-être vous demanderez-vous pourquoi vous avez besoin d'atteindre le plein état d'éveil d'un bouddha. Les êtres d'exception visent résolument à la libération personnelle et les bodhisattvas parvenus au dixième niveau du développement spirituel ont une grande capacité à aider les autres. Cependant, ce n'est qu'en accédant à la plénitude de l'éveil qu'ils peuvent amener d'innombrables êtres à un état transcendant la souffrance. Il vous faut donc faire naître en vous une ferme aspiration à atteindre dans sa plénitude l'état d'éveil d'un bouddha capable de réaliser à la fois ses propres objectifs et ceux d'autrui.

De nos jours, sans doute un bon nombre d'entre nous doutent-ils qu'il soit réellement possible d'accéder à cet état de bouddhéité. Lorsque nous parlons de bouddhéité, nous songeons sans doute uniquement au Bouddha Shakyamuni, qui fit son apparition en ce monde il y a plus de deux mille cinq cents ans. Il est donc important de bien saisir quelle est la nature de l'éveil. Nous devons d'abord comprendre qu'il est possible d'éradiquer les défauts qui contaminent notre esprit. C'est ce qui rend possible l'accès à l'éveil. Si nous savons comprendre cela, nos efforts pour susciter cet éveil de l'esprit seront d'autant mieux inspirés.

C'est pourquoi il est dit que la sagesse se concentre sur l'éveil, et la compassion, sur les besoins des êtres sensibles. Dès lors que nous envisagerons comme possible l'accès à l'éveil au sein de notre propre esprit, nous aspirerons à le réaliser.

## Les sept points de l'entraînement de l'esprit

Il s'agit d'un ouvrage écrit par le maître bouddhiste Guéshé Tchekawa (1102-1176) à l'issue de sa longue expérience dans l'enseignement de la pratique de l'entraînement de l'esprit.

*Hommage à la grande compassion*
L'essence de ce nectar des instructions secrètes
Nous vient de Sumatra par la bouche du maître,
Et vous devez comprendre qu'elles sont d'une portée
Comparable au diamant, au soleil, à l'arbre guérisseur.
Ces cinq ères successives de dégénérescence se mueront alors
En un chemin qui mène à la plénitude de l'état d'éveil.

1. *Explication des préliminaires comme fondement de la pratique :*
D'abord, entraînez-vous aux préliminaires.

2. a. *La pratique proprement dite : entraînement à l'éveil relatif (ou conventionnel) de l'esprit :*
Bannissez toute tendance au blâme systématique.
Méditez sur la grande bonté de tous les êtres sensibles.
Associez la pratique du donner à celle du recevoir.
Sachez alternativement prendre et donner,
En commençant par prendre de vous-même.
Faites que ces deux gestes s'accordent au va-et-vient du souffle.
Quant aux trois objets, aux trois poisons et aux trois vertus,

Les instructions à suivre, en bref, consistent
À prendre à cœur ces paroles dans toutes vos activités.
 b. *Entraînement à l'éveil absolu de l'esprit*
Une fois atteinte la stabilité, transmettez l'enseignement secret :
Considérez tous les phénomènes comme semblables à des songes.
Examinez la nature de la conscience encore à naître.
Le vrai remède est celui dont on dispose quand il faut là où il faut.
Sachez où se situe l'essence de la voie : elle a trait à la nature du fondement de toute chose.
Entre deux méditations, soyez comme un magicien, comme un faiseur d'illusions.

3. *Comment transformer les adversités en chemin de l'éveil*
Quand l'environnement et ceux qui l'habitent sont des plus nocifs,
Faites de ces circonstances adverses un chemin vers l'éveil.
Soyez en toutes circonstances capable d'une réflexion immédiate.
La méthode suprême est indissociable des quatre pratiques.

4. *La pratique intégrée dans une unique existence*
Entraînez-vous à la maîtrise des cinq pouvoirs.
Les cinq pouvoirs eux-mêmes ne sont autres que
Le précepte du grand véhicule
Concernant le transfert de la conscience.
Cultivez ces chemins de pratique.

5. *Évaluation des progrès dans l'entraînement de l'esprit*
Condensez tous les enseignements en une seule et unique pensée.
Il faut accorder aux deux témoins une importance majeure.

Cultivez constamment et exclusivement la joie de l'esprit.

On jauge l'esprit entraîné à son renversement d'attitude.

L'esprit entraîné se reconnaît à cinq signes essentiels.

L'esprit entraîné ne perd jamais contrôle, même s'il est distrait.

6. *Les engagements liés à l'entraînement de l'esprit*
Entraînez-vous toujours en fonction des trois points généraux.

Engagez-vous fermement à cultiver avec énergie les qualités et à vous écarter des émotions perturbatrices.

Domptez tout ce qui est source d'égoïsme.

Entraînez-vous assidûment à faire face aux situations difficiles.

Ne vous attendez pas à des conditions autres que ce qu'elles sont.

Changez d'attitude, mais gardez la conduite qui vous est naturelle.

Ne parlez pas des défauts d'autrui.

Ne vous occupez pas des affaires d'autrui.

Abandonnez tout espoir de récompense.

Évitez les aliments toxiques.

Renoncez à une loyauté que rien ne justifie plus.

Ne lancez pas de plaisanteries malveillantes.

N'agissez pas de façon sournoise.

Ne frappez pas l'adversaire au cœur.

N'imposez pas au poney le fardeau du cheval.

Ne forcez pas l'allure pour remporter la course.

Ne transformez pas les dieux en démons.

Ne faites pas du malheur d'autrui la clé de votre bonheur.

7. *Les préceptes de l'entraînement de l'esprit*
Tous les yogas doivent être pratiqués comme formant un tout.

Deux activités sont à effectuer en début et en fin d'exercice.

Entraînez-vous d'abord aux pratiques les plus faciles.

Qu'elles s'avèrent aisées ou non, soyez patient dans les deux cas.

Ne renoncez ni aux unes ni aux autres, fût-ce au prix de votre vie.

Entraînez-vous à affronter les trois sortes d'obstacles.

Faites de toute chose une étape sur le chemin du grand véhicule.

Appréciez la valeur d'une pratique globale et de grande portée.

Soyez à la recherche des trois facteurs essentiels.

Purifiez d'abord ce qu'il y a de plus grossier.

Mettez en pratique ce qui est le plus efficace.

Ne faiblissez sur aucun des trois fronts.

N'abandonnez jamais aucun des trois acquis.

Si vous retombez dans l'erreur, méditez sur la rechute et faites-en un antidote.

Engagez-vous dès maintenant dans les pratiques essentielles.

Dans l'avenir, endossez toujours une armure protectrice.

Ne mettez pas en application des vues erronées.

Ne soyez pas inconstant.

Pratiquez sans faiblir.

Faites en sorte que l'examen et l'analyse des faits vous libèrent.

Ne vous vantez de rien.

Ne soyez pas d'humeur irritable.

Ne relâchez pas vos efforts.

N'espérez nulle gratitude.

## Ce que pratiquer veut dire

L'expression « s'adonner à une pratique religieuse » ne désigne pas seulement un changement d'ordre matériel, ou le choix d'une vie monastique, ou encore la récitation de formules. La pratique religieuse doit se situer au niveau de notre propre pensée. Si l'on sait placer les enseignements au cœur même de sa propre pensée, toutes les actions, tant physiques que verbales, peuvent être mises en harmonie avec cette pratique. Si l'on est incapable d'instiller ces enseignements au sein même de sa pensée, on aura beau méditer, psalmodier les écritures ou passer sa vie au temple, cela ne servira à rien. La pensée est donc essentielle pour la pratique. Ce qui compte le plus, c'est donc de prendre refuge dans les trois joyaux (le Bouddha, sa doctrine et la communauté spirituelle), de tenir compte du lien entre les actions et leurs effets, et de générer une attitude d'entraide à l'égard des autres.

Autrefois vivait au Tibet un célèbre lama nommé Drom. Un jour, Drom vit un homme faisant rituellement le tour d'un reliquaire. « Tourner autour d'un reliquaire, c'est bien, lui dit-il, mais pratiquer, c'est encore mieux. »

L'homme songea : « Dans ce cas, ce serait bien de lire un livre saint. » Ce qu'il fit. Et un beau jour, alors qu'il était en train de lire, Drom l'aperçut et dit : « Lire un livre saint, c'est bien, mais pratiquer, c'est encore mieux. »

L'homme se dit : « Cela non plus, apparemment, ne suffit pas. Si je me mets à la méditation, là, ce sera de la vraie pratique, à coup sûr. »

Drom, le voyant plongé dans la méditation, déclara : « La méditation, c'est bien, mais la pratique, c'est encore mieux. » L'homme, surpris au plus haut point, demanda : « Mais alors, comment faut-il faire pour pratiquer ? » Et Drom lui répondit : « Ne sois pas attaché à cette vie et fais en sorte que ton esprit se confonde avec les pratiques. » Et si Drom a dit cela, c'est parce que la pratique dépend de la pensée.

# 8

## Huit stances de l'entraînement de l'esprit

Les *Huit Stances de l'entraînement de l'esprit* forment un bref traité écrit par le maître bouddhiste Guéshé Langri Tangpa (1054-1123) qui considérait la pratique de l'esprit d'éveil et, en particulier, la méditation axée sur l'échange de soi-même et d'autrui[1] comme étant de la plus haute importance dans sa vie. J'ai reçu les premières explications de ces stances au cours de mon enfance à Lhassa, et je les récite depuis chaque jour : elles font partie de ma pratique personnelle quotidienne.

« Déterminé à faire en sorte que se réalise
Le summum du bien-être pour tous les êtres sensibles,
Qui surpassent en valeur le plus précieux des talismans,
J'apprendrai à aimer ces êtres au plus haut point.

Chaque fois que je serai au contact des autres
J'apprendrai à me voir comme le plus humble d'entre eux
Et je les considérerai respectueusement et
Du plus profond de mon cœur comme des êtres suprêmes.

---

1. Pratique consistant à se mettre en pensée à la place de l'autre (*N.d.T.*).

Dans chacune de mes actions je scruterai le fond de
mon esprit,
Et dès que poindra une émotion perturbatrice,
Mettant en danger les autres et moi-même,
Je l'affronterai avec fermeté et je l'éviterai.

J'apprendrai à chérir tous les êtres malfaisants,
Tous ceux qu'accablent le poids de graves méfaits et
de lourdes souffrances,
Comme si j'avais découvert un précieux trésor
Difficile à trouver.

Si, poussés par l'envie, certains me maltraitent,
M'abreuvent d'insultes, de calomnies et de choses
de ce genre,
J'apprendrai à endurer l'épreuve
Et à leur laisser en cadeau la victoire.

Lorsque celui à qui j'ai fait du bien et dont j'espère
beaucoup
Me blesse de façon très grave et sans raison,
J'apprends à voir en lui
Le meilleur des guides spirituels.

En bref, j'apprendrai à offrir à chacun sans excep-
tion,
De manière directe et indirecte, toute l'aide et tout
le bonheur possibles,
Et j'endosserai avec grand respect
Tout le mal et toute la souffrance de mes mères.

J'apprendrai à préserver toutes ces pratiques
Des souillures liées aux huit préoccupations mon-
daines,
Et en comprenant la nature illusoire de tous les phé-
nomènes,
Je serai libéré de l'esclavage de l'attachement. »

Dans les sept premières de ces huit stances sur l'entraînement de l'esprit, le sujet abordé est l'éveil conventionnel

(ou relatif) de l'esprit, connu sous le vocable de *bodhicitta* relative. La dernière stance fait une brève allusion à l'autre forme de bodhicitta, à savoir la bodhicitta absolue.

La première de ces huit stances dit en substance : « Ceux qui sont déterminés à réaliser le bien-être supérieur des êtres sensibles, qui l'emportent même sur le joyau qui comble tous les vœux –, puissé-je en tout temps les aimer ! » Il est ici question de la relation entre le « moi » et les autres. Quelle est en ce domaine la situation habituelle ? En général, on peut dire que l'on affectionne – avec la plus haute considération, bien entendu – sa propre personne, ses propres préoccupations, et l'on privilégie par conséquent la tâche qui consiste à accéder à son propre bien-être en trouvant le bonheur et en évitant la souffrance. Ce fardeau, c'est nous-mêmes qui le portons, et il est notre souci majeur et précieux entre tous. Parallèlement, le souci des autres est généralement délaissé comme étant de peu d'importance, voire insignifiant. C'est une situation qu'il faut faire bouger, en poussant l'entraînement de l'esprit jusqu'au renversement de cette attitude où notre propre bien-être a droit à la plus haute considération, tandis que celui d'autrui passe pour insignifiant. Il faut à cet effet manifester un grand respect et un grand souci du bien-être d'autrui, tout en considérant comme relativement insignifiant son propre bien-être. Tel est donc l'objectif. Pour le réaliser, il faut s'astreindre à un entraînement mental soutenu, comprenant un certain nombre de méthodes diverses.

La deuxième stance du texte dit : « Chaque fois que je serai en contact avec d'autres, puissé-je me considérer comme étant le plus humble de tous, et voir dans les autres des êtres d'une valeur suprême, et que cette pensée me vienne du fond du cœur. » Le contenu de cette stance contraste avec notre attitude antérieure, où nous posions sur les autres un regard condescendant. Ici, au contraire, nous portons un regard valorisant sur tous les êtres sensibles, les considérant comme nos propres frères, tout en nous voyant inférieurs à eux. Nous les chérissons, nous mettons notre corps, notre esprit et tout notre être au service de leur bien-être et nous nous consacrons entièrement au bien-être de toutes les créatures, à présent considérées comme suprêmes.

La troisième stance dit : « Puissé-je, dans chacune de mes actions, scruter le fond de mon esprit et, dès que des conflits ou des distorsions de l'esprit interviennent, mettant ainsi en danger les autres et moi-même, puissé-je y faire face avec fermeté et les éviter. » Lorsqu'on cherche à cultiver cette attitude d'amour envers autrui en adoptant vis-à-vis de lui une attitude de modestie, on s'aperçoit que cette dernière est incompatible avec les diverses distorsions de l'esprit, à savoir les attitudes mentales erronées qui nous ont jusqu'ici empêchés d'échapper à l'égocentrisme, ainsi qu'aux fausses conceptions de ce que nous sommes. Compte tenu de cette incompatibilité, la stance insiste sur la nécessité de nous prémunir contre de telles attitudes faussées. Lorsqu'elles surgissent dans l'esprit, on doit surveiller ses propres pensées, comme si l'on assurait la garde d'une maison. Cela doit être fait avec une attention et une discrimination qui sont les deux gardiens intérieurs de l'esprit, à l'image d'une police interne : si ces gardiens sont présents dans l'esprit, aucune police extérieure n'est alors nécessaire, car on ne s'engagera pas dans des actions malsaines et nocives. Cependant, si ces deux gardes intérieurs, si cette police intérieure que sont l'attention et la discrimination fait défaut, quelle que soit l'ampleur des forces de police extérieures, elles seront impuissantes à contrôler la situation. On constate par exemple combien, face aux terroristes, l'intervention policière peut être inefficace.

La quatrième stance dit : « Lorsque je vois des êtres malfaisants subissant le poids de violents errements, puissent-ils m'être aussi chers que si j'avais trouvé un précieux trésor. » Cette stance fait allusion à des êtres particulièrement répugnants, tels que des cannibales ou des gens très mauvais. Même si nous ne désirons nullement leur faire du mal, nous pouvons avoir naturellement tendance à les éviter, à détourner le regard, à éviter tout contact avec eux. Cette attitude est pourtant à bannir. Ce qu'il faut cultiver, qu'ils soient présents ou absents, c'est une attitude d'affectueux égards à leur encontre, de sorte que nous ne nous disions pas en les croisant : « Oh non ! Voilà qu'il va falloir faire quelque chose pour eux ! », ou : « Encore un fardeau, une corvée qui m'incombe ! » Au lieu de cela, à la rencontre de tels êtres, il faut faire comme si l'on avait trouvé un joyau précieux, un trésor, ou quelque chose de tout à fait merveilleux ; et l'on doit sauter sur cette occasion qui nous est offerte de les aider.

La cinquième stance dit : « Lorsque les autres sont en colère contre moi, ou me lancent des insultes, des calomnies, ou des choses de ce genre, puissé-je endurer la défaite et leur offrir la victoire. » D'où l'importance de cultiver cette attitude de disponibilité, ce désir d'aimer les autres ; mais l'on doit surtout privilégier dans sa pratique la culture d'une telle attitude envers les êtres qui, pour une raison quelconque, ont envie de nous faire du mal, qu'ils soient mus par la colère ou le désir de nous jouer des tours, à l'instar d'un magicien, et qu'ils nous nuisent effectivement ou se contentent de le souhaiter. On devrait se soucier tout particulièrement d'êtres tels que ceux-ci, comme s'ils nous étaient très précieux. Ce qu'il faut faire, face à des êtres de ce genre, si leur attitude malveillante à notre égard débouche sur une forme de conflit, c'est accepter la défaite ou la perte subie de notre part, et leur accorder la victoire. Tel est en substance le message de la stance ci-dessus.

La sixième stance dit : « Quand celui à qui j'ai fait du bien me traite très mal, puissé-je voir en lui mon suprême gourou. » Parmi la multitude des êtres sensibles, il peut s'en trouver certains à qui l'on s'est efforcé de rendre plus particulièrement service, ou envers qui l'on s'est montré particulièrement bon – ce qui serait considéré comme un acte noble et adapté à la situation. Il serait normal que cette personne vous soit reconnaissante de votre bonté et manifeste quelques égards envers son bienfaiteur. Mais il peut arriver que celui à qui on a dispensé des bienfaits nous réponde d'une façon mesquine et imméritée, auquel cas notre réaction naturelle serait de nous sentir blessé et injustement traité. Ce que doit faire le bodhisattva, autrement dit celui qui cultive l'attitude dont il est ici question, c'est de considérer cette personne comme étant un gourou spirituel, de voir dans l'événement une formidable opportunité, et de tenir spécialement en estime cet individu, le voir comme un être à chérir, car il nous a donné l'occasion de cultiver la patience et la tolérance. C'est ainsi que le bodhisattva cultive ce type d'attitude mentale.

Passons à présent à la septième stance, qui dit : « En bref, puissé-je, de manière directe et indirecte, offrir bienfaits et amour à toutes mes mères ; puissé-je prendre secrètement à mon compte leurs malheurs et leurs souffrances. » C'est encore une allusion à l'éveil relatif de l'esprit. Dans le cas présent, pour que cette belle attitude, où l'on aime autrui plus que soi-même, connaisse un épanouissement intense et de plus en plus fervent, il faut qu'elle jaillisse des sources mêmes de la compassion. La compassion, c'est ce qu'éprouve un esprit qui ne peut supporter la souffrance des autres et souhaite ardemment qu'ils en soient délivrés. Outre cet ardent souci de l'autre et cette empathie, nous devons manifester une attitude de bonté et d'amour dans laquelle le spectacle du bonheur et du bien-être d'autrui nous remplit de joie. Ces deux attitudes – la compassion et la bonté inspirée par l'amour – sont le lieu où prend racine cet amour agissant qui pousse à préférer les autres à soi-même. C'est sur ces bases qu'a été élaborée une pratique appelée *tonglen* (ou pratique du donner et du recevoir) exprimée par cette septième stance.

Être capable, dans la réalité des faits, de transférer à autrui son propre bonheur et de prendre en charge ses souffrances n'est possible qu'en de très rares occasions : cela n'arrive que lorsqu'il existe entre soi-même et l'autre un type de relation très spécial, fondé sur des affinités karmiques remontant peut-être à une vie antérieure. En de telles occasions, un transfert des souffrances d'autrui sur soi-même peut s'avérer possible, mais, normalement, c'est impossible. Pourquoi, dans ce cas, inciter les gens à cultiver cette attitude altruiste ? Parce que c'est la voie d'accès à une grande force de caractère, à un grand courage, à un grand enthousiasme ; et cela améliore notre propre pratique sur le chemin de l'éveil de l'esprit.

La huitième et dernière stance dit : « Puisse tout cela demeurer à l'abri des souillures des huit préoccupations mondaines. Puissé-je, en comprenant que tous les dharmas ou tous les éléments constitutifs des phénomènes sont illusoires, m'en détacher et être ainsi délivré de l'esclavage de l'existence cyclique. » Dans cette stance finale, l'essentiel du message a trait à la culture de l'éveil absolu de l'esprit. Alors que les autres stances sont en rapport direct avec les divers types de pratique, celle-ci se rapporte directement à l'éveil de l'esprit. Le fait de cultiver cet état d'esprit qui fait qu'on aime les autres plus que soi-même peut s'avérer très dangereux, car nous sommes depuis longtemps sujets à des distorsions mentales qui peuvent interférer avec notre pratique du dharma. On peut, pour gagner en réputation, se laisser corrompre par le prestige associé à ces pratiques altruistes ; on peut aussi désirer en secret recevoir des cadeaux de ceux à qui on a dédié ces pratiques. On peut aussi se dire : « Ah ! Je suis quelqu'un de très religieux, je suis un pratiquant du dharma ! » Ce qui peut nous amener à un sentiment d'orgueil, de supériorité par rapport aux autres et de condescendance. Toutes ces formes de déviations mentales, et les attitudes qui en découlent, sont tout à fait susceptibles de nous affecter. À cause du danger encouru lorsqu'on cultive l'éveil de l'esprit, il faut être particulièrement vigilant au sujet des tendances désignées sous le terme de « huit préoccupations mondaines » (ou huit dharmas mondains), au rang desquels figurent l'espoir de gloire, l'espoir de louange, l'espoir de plaisir et l'espoir de gain. Il faut se débarrasser totalement de ces travers dans la pratique du dharma. Cette attitude, lorsqu'on la cultive, doit rester pure, c'est-à-dire qu'il faut pratiquer l'oubli total de soi-même, et avoir pour autrui des égards qui soient au-dessus de tout soupçon. Ce point est extrêmement important.

# 9

## Pour que la vie et la mort aient un sens

Une question nous préoccupe tous : comment faire pour vivre et mourir en paix ? La mort est une forme de souffrance, c'est une expérience que nous préférerions éviter, mais elle finit pourtant par nous frapper tous, chacun à notre tour. Il est cependant possible d'adopter une ligne de conduite qui nous permette d'affronter sans crainte cet événement fâcheux. L'un des principaux facteurs qui nous aideront à rester calmes et imperturbables à l'heure de la mort est la façon dont nous aurons vécu notre existence. Mieux nous aurons su donner un sens à notre vie, moins nous aurons de regrets à l'heure de la mort. Les sentiments éprouvés au moment de mourir dépendent donc largement de la façon dont on a vécu.

Le fait de se lancer dans une pratique spirituelle qui se mesure en termes d'éternité et d'une succession de vies vous ouvre d'autres perspectives sur la mort. Dans un contexte où notre existence passe par de nombreuses vies successives, mourir, c'est un peu comme changer de vêtements. On enfile des vêtements neufs lorsque les vieux sont usés. Ces considérations affectent notre attitude face à la mort. Cela permet de mieux réaliser que la mort fait partie intégrante de la vie. Les niveaux les plus grossiers de l'esprit dépendent de notre cerveau, ils continuent donc de fonctionner tant que le cerveau est en état de marche. Dès que le cerveau s'arrête, l'anéantissement de l'esprit à ces niveaux-là intervient automatiquement. Le cerveau conditionne la manifestation des niveaux les plus grossiers de l'esprit, mais la cause fondamentale de l'esprit réside dans la continuité de l'esprit subtil qui, lui, n'a pas de commencement.

À l'instant de la mort, l'entourage peut rappeler au mourant de générer en lui des états d'esprit positifs jusqu'à la dissolution du niveau de conscience le plus grossier. Mais dès qu'on accède à l'état de conscience subtile, seule la force de nos prédispositions antérieures peut nous aider. À ce stade-là, il est très difficile pour quiconque de nous rappeler à des pratiques vertueuses. Il est donc essentiel d'acquérir une conscience lucide de la mort et de nous familiariser avec les moyens permettant de faire face à la dissolution de l'esprit, et ce dès notre plus jeune âge. Nous pouvons le faire en répétant le scénario de la mort grâce à la visualisation. Il se peut alors qu'au lieu d'en avoir peur, nous éprouvions à son sujet un sentiment d'excitation. Et à l'issue de si nombreuses années de préparation, nous devrions nous sentir capables d'affronter ce défi de la mort de manière efficace.

### Surmonter la peur

Dès lors que vous avez, grâce à la méditation, l'expérience des niveaux profonds et subtils de l'esprit, vous pouvez véritablement contrôler votre mort. Bien sûr, cela n'est possible qu'une fois atteint un certain niveau de pratique. Il existe dans le tantra des pratiques avancées, telles que le transfert de conscience, mais je crois que la pratique essentielle, au moment de la mort, est celle de l'éveil de l'esprit. C'est la plus puissante de toutes. Bien que dans ma pratique quotidienne je médite six ou sept fois par jour sur le processus de la mort, en y associant diverses pratiques tantriques, je reste convaincu que je trouverai plus facile de me remémorer, au moment de mourir, celle liée à l'éveil de l'esprit. C'est la pratique spirituelle qui m'est la plus proche. Bien entendu, en méditant sur la mort, nous nous y préparons par la même occasion, nous n'avons donc plus de raisons de nous en inquiéter. Bien que je ne sois pas encore prêt à affronter ma mort effective, je me demande parfois comment j'y ferai face quand elle sera réellement là. Je suis déterminé, si ma vie se prolonge, à me montrer capable d'accomplir encore beaucoup de choses. Ma volonté de vivre est égale à mon excitation quant à ce face-à-face avec la mort.

Garder la mort présente à notre mémoire fait partie intégrante de la pratique bouddhique. Cette pratique se présente sous divers aspects. Il faut méditer constamment sur la mort, c'est un moyen d'accentuer notre détachement par rapport à la vie et à ses attraits. Un autre aspect consiste à répéter mentalement le processus de la mort, pour se familiariser avec les différents niveaux par lesquels passe l'esprit au cours de l'agonie. Lorsque les niveaux les plus grossiers se dissipent, l'esprit subtil passe au premier plan. Il est important de méditer sur le processus de la mort afin d'acquérir une expérience approfondie de l'esprit subtil.

La mort signifie que le corps a certaines limites. Lorsqu'il ne peut plus se maintenir en vie, nous mourons et nous prenons un autre corps. L'être ou le soi fondamental, qui consiste en une combinaison du corps et de l'esprit, persiste après la mort, et bien que le corps individuel ne soit plus, le corps subtil demeure. De ce point de vue, l'être n'a ni commencement ni fin, il demeurera, jusqu'à son accession à la bouddhéité.

Malgré tout, on a peur de la mort. À moins de pouvoir assurer notre avenir grâce aux actions positives effectuées de notre vivant, le danger de renaître sous une forme d'existence défavorable est réel. Dans cette vie, même si vous êtes un réfugié privé de tout contact avec votre pays, vous vivez malgré tout au sein d'un univers humain, où vous pouvez demander aide et assistance. Mais après la mort, vous êtes dans une situation tout à fait inédite. L'expérience ordinaire engrangée au cours de cette vie n'est généralement plus d'aucune utilité après la mort. Si vous ne vous êtes pas convenablement préparé, les choses pourraient mal tourner. On se prépare à la mort par l'entraînement de l'esprit. À un certain niveau, cela suppose de cultiver une attitude de compassion sincère et motivée, et d'effectuer des actions positives, en étant au service des autres êtres sensibles. À un autre niveau, cela suppose de contrôler son esprit, ce qui est une manière plus profonde de se préparer à l'avenir. À la longue, on peut devenir maître de son esprit, ce qui est l'objectif premier de la méditation.

Ceux qui ne croient pas qu'il y ait quoi que ce soit dans l'au-delà auraient intérêt à considérer la mort comme faisant simplement partie de la vie. Tôt ou tard, nous devons tous affronter la mort et cela nous aidera au moins à la voir comme une chose normale. Même si nous évitons délibérément d'y penser, nous ne pouvons pas y échapper. Face à un tel problème, il y a deux choix possibles. L'un consiste à ne pas penser à la mort, à la sortir de votre esprit – au moins, ce dernier restera calme. Mais cette option est hasardeuse, car le problème demeure, et tôt ou tard vous devrez l'affronter. L'autre choix consiste à faire face au problème, à y réfléchir intensément. Je connais des soldats qui disent se sentir plus forts avant le combat que lorsqu'ils se lancent effectivement dans la bataille. Si vous pensez à la mort, votre esprit se familiarisera peu à peu avec cette idée, et quand la mort surviendra pour de bon, le choc sera moindre et vous serez moins bouleversé. Je crois donc utile de penser à la mort et d'en parler.

Nous avons besoin d'une vie qui ait un sens. Dans les écritures, les sphères de l'existence sont décrites comme étant impermanentes, pareilles à un nuage dans un ciel d'automne. On peut comprendre la naissance et la mort des êtres humains en observant les allées et venues sur une scène de théâtre des protagonistes d'un drame. On voit d'abord les acteurs portant un costume, puis un autre. En un court laps de temps, ils subissent de nombreuses métamorphoses. Il en va de même pour notre existence. Le déclin de la vie humaine peut se comparer à la foudre tombant dans le ciel ou à la chute d'un rocher dévalant une pente abrupte. L'eau suit toujours une pente descendante. Jamais elle ne remonte à contre-pente, c'est impossible. Presque à notre insu, notre vie s'en va. Ceux d'entre nous qui admettent la valeur de la pratique spirituelle peuvent songer aux vies futures qui nous attendent, mais, au fond de notre cœur, nous sommes avant tout axés sur les objectifs de notre vie présente. C'est ainsi que nous nous laissons gagner par la confusion, et prendre au piège du cycle de l'existence. Nous gaspillons notre vie. Dès l'heure de notre naissance, nous avançons vers la mort. Et nous passons pourtant le plus clair de notre existence à faire provision pêle-mêle de nourriture, de vêtements et d'amis. À l'heure de notre mort, il faudra laisser tout cela derrière nous. Ce voyage vers l'autre monde, nous devons le faire seul, sans personne pour nous accompagner. Une seule chose nous sera bénéfique : avoir éventuellement entrepris une forme ou une autre de pratique spirituelle, et avoir laissé dans notre esprit quelque empreinte positive. Si nous voulons cesser de gaspiller notre vie, et nous orienter vers une pratique spirituelle, nous devons méditer sur l'impermanence et sur notre condition mortelle – sur le fait que, dès la naissance, notre corps est impermanent par nature, et promis à la désintégration.

### La mort comme pratique spirituelle

L'engagement dans une pratique spirituelle n'a pas simplement pour but de porter ses fruits dans cette vie, mais dans les vies ultérieures, après la mort. L'un des freins à notre pratique est notre tendance à croire en notre longévité. Nous sommes à l'image de celui qui a pris la décision de se fixer en un certain lieu. Une telle personne va naturellement s'impliquer dans les affaires du monde, amasser une fortune, construire des bâtiments, planter pour récolter, et ainsi de suite. À l'inverse, celui qui se préoccupe plutôt des vies qui l'attendent après la mort ressemble à un candidat au voyage. Un voyageur se prépare à faire face à toutes les éventualités, et il réussit à atteindre sa

115

destination. À force de méditer sur la mort, le pratiquant est moins obsédé par toutes ces choses de la vie que sont le nom et la réputation, les biens et le statut social. Tout en travaillant pour répondre aux exigences propres à cette existence, celui qui médite sur la mort trouve le temps de générer l'énergie capable d'apporter paix et joie dans les vies futures.

La conscience de la mort peut être développée grâce aux deux formes de méditation – formelle et analytique. Il faut d'abord admettre intellectuellement que la mort est une certitude. Il ne s'agit pas d'une quelconque théorie obscure, mais d'un fait évident et observable. On estime que notre univers remonte à cinq milliards d'années, et que l'espèce humaine existe depuis cent mille ans. Sur une période de temps aussi longue, existe-t-il un seul être humain qui ait échappé au face-à-face avec la mort ? La mort est absolument inévitable, où que vous viviez, que vous vous cachiez dans les profondeurs de l'océan ou que vous voliez en plein ciel.

Peu importe qui vous êtes : vous devez mourir. Staline et Mao ont été deux des hommes les plus puissants du XXe siècle. Pourtant, eux aussi ont dû mourir, et il semble qu'ils aient été effrayés et malheureux face à la mort. De leur vivant, ils avaient régné en dictateurs, entourés de serviteurs et de laquais prêts à leur obéir au doigt et à l'œil. Ils exerçaient le pouvoir en hommes implacables résolus à détruire tout ce qui osait défier leur autorité. Mais, face à la mort, tous ceux à qui ils avaient jusqu'alors fait confiance, et tout ce sur quoi ils comptaient jusque-là – leur pouvoir, leurs armes, leur force militaire – ne leur étaient plus d'aucune utilité. En de telles circonstances, n'importe qui aurait peur. Il y a un avantage à cultiver la conscience de la mort : cela vous aidera à donner un sens à votre vie. La paix et le bonheur durables seront à vos yeux plus importants que le plaisir à court terme. Se remémorer l'existence de la mort, c'est comme détruire à grands coups de marteau toutes les tendances négatives et toutes les émotions perturbatrices.

Pour aviver votre conscience de la mort, il faut ensuite penser à son caractère imprévisible. Comme l'exprime un dicton populaire : « Demain, ou une autre vie ? On ne sait jamais ce qui va arriver en premier. » Mais nous savons tous que la mort viendra un jour. Le problème, c'est que nous croyons toujours qu'elle est prévue pour plus tard. Nous sommes occupés en permanence par des questions matérielles. Il est donc essentiel de méditer sur l'imprévisibilité de la mort. Les textes traditionnels expliquent que la durée de vie des habitants de ce monde est incertaine, surtout en cette époque décadente. La mort n'obéit à aucune règle, à aucun ordre. N'importe qui peut mourir à tout moment, qu'il soit jeune ou vieux, riche ou pauvre, malade ou bien portant. Rien ne peut être tenu pour acquis en ce qui concerne la mort. Des gens solides et en bonne santé meurent brutalement dans des conditions imprévues, alors que des malades affaiblis et grabataires survivent encore longtemps.

Si l'on met en balance les causes susceptibles d'entraîner la mort et les facteurs limités favorables au maintien de la vie, on voit pourquoi la mort est imprévisible. Nous chérissons ce corps humain qui est le nôtre, persuadés qu'il est solide et va durer longtemps. Mais la réalité contredit nos espoirs. Comparé à la pierre et à l'acier, notre corps est faible et délicat. Nous mangeons pour nous maintenir en vie et en bonne santé, mais, en certaines occasions, c'est la nourriture même qui nous rend malades et nous conduit à la mort. Rien ne garantit que nous allons vivre toujours.

Nous craignons la mort en tant que fin ultime de la vie. Ce qui est pire encore, c'est que rien de ce que nous avons acquis au prix de tant d'efforts – richesse, pouvoir, notoriété, amis ou famille – n'est d'aucune aide en ces moments-là. Vous pouvez être un homme puissant soutenu par une imposante force militaire, quand la mort frappe, cette armée ne peut pas vous défendre. Vous avez beau être riche et pouvoir vous offrir les plus belles voitures, quand vous êtes malade, quand la mort finit par l'emporter, aucun expert ne peut être embauché pour vous en protéger. Quand il faut quitter ce monde, vous laissez vos richesses derrière vous. Vous ne pouvez pas emporter le moindre centime. Votre ami le plus cher ne peut pas vous accompagner. C'est seul que vous devez affronter l'autre monde. Il n'y a que votre expérience de la pratique spirituelle qui puisse vous aider.

Votre corps vous est très précieux. Il est, depuis votre conception même, votre compagnon le plus solide et le plus sûr. Vous avez fait tout votre possible pour lui prodiguer les meilleurs soins. Vous l'avez nourri pour qu'il n'ait pas faim, abreuvé lorsqu'il avait soif. Vous vous êtes reposé quand il était las. Vous étiez prêt à tout et n'importe quoi pour lui assurer les soins, le confort et la protection nécessaires. En toute honnêteté, votre corps a aussi été un fidèle serviteur, toujours à l'écoute de vos besoins. La simple fonction cardiaque est une source d'émerveillement. Le cœur travaille sans relâche, il ne s'arrête littéralement jamais, quoi que vous fassiez, que vous soyez en état de veille ou de sommeil. Mais quand la mort frappe, le corps lâche. Votre conscience et votre corps se séparent l'un de l'autre, et votre précieux corps n'est plus qu'un hideux cadavre. Ainsi, face à la mort, votre richesse et vos biens, vos amis et vos parents, et votre corps lui-même ne peuvent plus rien pour vous. La seule chose qui puisse vous aider à affronter l'inconnu est la graine de vertu que vous avez plantée dans votre conscience en mouvement. Voilà pourquoi la pratique spirituelle peut vous aider à donner un sens à votre vie.

Se remémorer l'éveil de l'esprit apporte instantanément le calme et la paix de l'esprit à l'heure de la mort. Cultiver une attitude vertueuse au moment de mourir peut faire que l'acte vertueux porte ses fruits et vous assure une renaissance favorable. Donc, du point de vue du pratiquant bouddhiste, vivre une vie qui ait un sens signifie se familiariser avec les états d'esprit vertueux qui en fin de compte vous aideront à affronter la mort. Que votre expérience à l'heure de la mort soit positive ou négative dépend surtout de la façon dont vous aurez pratiqué au cours de votre vie. L'important est que notre vie au quotidien ait un sens, et que nous ayons une attitude positive, empreinte de chaleur humaine et de bonheur.

# 10

## COMPRENDRE LA VACUITÉ

La connaissance des phénomènes extérieurs et la mise en application de cette connaissance, telle est notre définition actuelle de la science. Une autre sphère de connaissance s'intéresse à l'approche et aux méthodes essentiellement orientées vers les phénomènes intérieurs, et leur application à des phénomènes tels que la conscience ou l'esprit. Les deux disciplines ont un même objectif : l'accès à la satisfaction et au bonheur, qui sont la préoccupation intime de chaque être humain. L'objectif mais aussi la méthode ont un lien direct avec les êtres humains, puisque c'est l'individu qui les met en œuvre. Le scientifique qui étudie les phénomènes extérieurs n'en est pas moins un homme en quête de bonheur, et la conscience le concerne lui aussi, qu'il soit ou non professionnel en la matière. Tout être porté vers le spirituel, et s'intéressant avant tout à la conscience ou à la méditation, est forcément aussi confronté à la matière. Aucune de ces deux voies ne peut, à elle seule, être suffisante. Si l'une des deux approches s'était avérée suffisante, jamais le besoin de réunir ces disciplines ne se serait manifesté.

Les deux approches sont donc très importantes, et j'aimerais en quelques mots mettre en relief les liens qui les unissent.

## La contingence des phénomènes

La vision, ou la philosophie, fondamentale du bouddhisme est celle de la contingence des phénomènes. Lorsqu'on parle de la notion de contingence des phénomènes, on sous-entend que les choses sont interdépendantes, ou que leur existence est censée dépendre d'un objet donné. Dans le cas d'un phénomène matériel, on préciserait que celui-ci existe en fonction de ses éléments constitutifs, alors que les phénomènes composés non matériels seraient décrits comme existant en fonction soit de leur caractère de continuité, soit d'un aspect de cette continuité. Par conséquent, qu'on ait affaire à des phénomènes externes ou internes, rien ne peut exister indépendamment de ses composants ou de ses aspects.

Si l'on voulait faire une enquête afin de corroborer l'existence d'un phénomène quel qu'il soit, étant donné qu'on ne rencontrerait pas la moindre trace de manifestation tangible de ce phénomène – pas le plus petit morceau de quoi que ce soit à pointer du doigt pour attester le phénomène –, on dirait que le phénomène existe sur la base d'une supputation de l'esprit.

Les phénomènes n'ayant pas de réalité indépendamment de l'esprit qui en suppose l'existence, on parle de *vacuité*, ce qui suppose l'absence de toute existence autonome qui ne dépende pas d'une supposition de l'esprit. Puisque l'existence des objets n'est pas spontanée, mais dépendante de conditions, ceux-ci se modifient chaque fois qu'ils rencontrent des conditions différentes, de sorte qu'ils apparaissent en fonction de certaines conditions, et cessent d'exister en fonction d'autres conditions. Cette absence même de toute existence intrinsèque, indépendante de toute cause ou condition, est la base de toutes les modifications susceptibles d'intervenir dans un phénomène, telles que son apparition, sa cessation, et ainsi de suite.

Il peut être intéressant de comparer l'interprétation scientifique du rôle de l'observateur ou « participant » d'une part, et d'autre part la position bouddhique selon laquelle les phénomènes observés n'existent pas simplement en tant qu'images mentales, projections ou visions de l'esprit, mais qu'ils existent en tant qu'entités distinctes de l'esprit. L'esprit et la matière sont deux choses différentes. La matière est distincte de l'esprit qui l'appréhende et qui la nomme. Cela signifie qu'en ce qui concerne tous les phénomènes sans exception, bien qu'ils ne soient pas simplement des créations ou des manifestations de l'esprit dépourvues d'une identité propre, leur mode d'existence dépend en ultime analyse de l'esprit qui en suppose l'existence, qu'on pourrait appeler le « supposant ». Leur mode d'existence est donc tout à fait distinct de ce « supposant », mais leur existence elle-même dépend de celui-ci. J'ai l'impression que ce point de vue pourrait correspondre à l'explication scientifique du rôle que joue l'observateur. Malgré les divergences de terminologie dans les explications, il y a une certaine proximité de sens dans les deux cas.

## La vraie nature des phénomènes

En apparence, les notions de contingence et de vacuité expliquées ci-dessus peuvent paraître tout à fait contradictoires. Pourtant, si l'on approfondit l'analyse, on peut finalement comprendre que les phénomènes, en raison de leur caractère de vacuité, apparaissent ou existent dans un contexte de dépendance, et, à cause de cette existence dépendante, sont vides par nature. On peut ainsi affirmer que contingence et vacuité se fondent sur une seule et même base, tout en présentant deux visages distincts qui, d'un point de vue général, paraissent contradictoires, alors qu'à un niveau plus profond, ils s'avèrent concordants et complémentaires.

Le mode d'apparition des phénomènes se distingue de leur mode d'existence réel. Quand l'esprit appréhende leur mode d'apparition, qu'il croit en la réalité de cette apparition, et qu'il persiste dans cette idée ou ce concept particulier, c'est là qu'il y a erreur. Étant donné que ce concept est totalement erroné au niveau de l'appréhension même de l'objet, il est en contradiction avec le mode d'existence réel, ou la réalité elle-même. Cette disparité, ou cette contradiction entre « ce qui est » et « ce qui apparaît » est due au fait que, bien que les phénomènes soient en réalité vides de toute réalité propre, ils apparaissent effectivement à l'esprit ordinaire comme dotés d'une existence autonome, bien qu'ils soient dénués d'une telle qualité. De la même façon, même si, dans les faits, les choses dépendant de causes sont impermanentes, transitoires et soumises à des changements constants, elles apparaissent effectivement comme permanentes et immuables. C'est ainsi qu'une chose qui est par nature de l'ordre de la souffrance passe pour du bonheur, et qu'une chose en réalité fausse paraît vraie. Cette contradiction entre le mode d'existence des phénomènes et leur mode d'apparition peut faire l'objet de nombreuses considérations subtiles. La contradiction entre « ce qui est » et « ce qui apparaît » donne lieu à toutes sortes d'erreurs. Cette explication est vraisemblablement assez proche de la conception que se font les scientifiques des différences quant aux modes d'apparition et d'existence de certains phénomènes.

D'une manière générale, comprendre le sens de la vacuité et de la contingence des phénomènes nous porte naturellement à renforcer nos convictions en faveur de la loi de causalité, selon laquelle des causes et conditions diverses produisent les fruits ou les effets, positifs ou négatifs, qui leur correspondent. On sera alors plus attentif aux causes et aussi plus conscient de la diversité des conditions. Si l'on a une bonne compréhension de la vacuité ou qu'on se familiarise avec cette notion, on risquera moins de voir apparaître des distorsions de l'esprit telles que l'attachement, la haine, etc., puisque ces distorsions sont causées par une vision erronée – erronée au sens où l'on ne fait pas clairement la différence entre « ce qui est » et « ce qui apparaît ». Vous pouvez, par exemple, à partir de votre propre expérience, constater les fluctuations de vos impressions face à une chose observée, en fonction de votre propre état d'esprit. Bien que l'objet observé reste le même, vous réagirez avec beaucoup moins d'intensité si votre esprit est calme que s'il est submergé par des émotions fortes, telles que la colère. Le mode d'existence réel des phénomènes, le simple concept d'existence lui-même ne sont que vacuité. Lorsqu'on comprend cela, et qu'on appréhende la nature contradictoire de l'apparence des phénomènes, on est tout de suite en mesure de réaliser la fausseté de cette vision erronée. Avec pour résultat que toutes les distorsions affectant notre esprit (telles que haine, attachement, etc.) – fondées sur ce concept erroné, cette illusion suscitée par la nature contradictoire des phénomènes – perdront de leur vigueur.

On pourrait soulever la question suivante : ces différents niveaux de la conscience ou de l'esprit qui appréhendent un objet, comment apparaissent-ils eux-mêmes ? Les différents niveaux de conscience correspondent aux différents niveaux de subtilité de l'énergie interne qui active la conscience et l'oriente vers un objet donné. Le niveau de subtilité ainsi que la force qui anime la conscience dans son mouvement vers l'objet déterminent et instaurent les différents niveaux de conscience. Il est très important de réfléchir sur le lien existant entre la conscience intérieure et les substances matérielles extérieures. De nombreuses philosophies orientales, et en particulier le bouddhisme, parlent de quatre éléments : la terre, l'eau, le feu et l'air, ou de cinq si l'on y ajoute l'espace. Les quatre premiers éléments – terre, eau, feu et air – sont soutenus par l'espace, élément qui leur permet d'exister et de fonctionner. L'espace – ou « éther » – sert donc de base au fonctionnement de tous les éléments.

Ces cinq éléments peuvent être classés en deux catégories : les cinq éléments extérieurs et les cinq éléments intérieurs, et il y a un lien réel entre éléments extérieurs et intérieurs. En ce qui concerne l'élément espace ou « éther », selon certains textes bouddhiques, tels que le

*Kalachakra Tantra,* l'espace n'est pas simplement un vide absolu, au sein duquel rien n'existe, mais il est décrit en termes de « particules vides ». Cette particule vide est donc la base rendant possibles l'évolution et la dissolution des quatre autres éléments. Ils en sont issus et finissent par y retourner, en étant réabsorbés par elle. Ce processus de dissolution évolue dans l'ordre suivant : terre, eau, feu et air, et le processus d'engendrement a lieu dans l'ordre inverse : air, feu, eau et terre. Cette notion est plus accessible si on l'exprime en termes de solides (terre), liquides (eau), chaleur (feu) et énergie (air). Les quatre éléments sont créés dans un ordre allant du plus subtil au plus grossier, à partir de particules vides, et ils se dissolvent, en allant du niveau le plus grossier jusqu'au plus subtil, pour se fondre dans ces particules vides. L'espace, ou particule vide, est la base de tout le processus.

### Méditation sur la vacuité

Pour prendre conscience du fait que tous les phénomènes illusoires sont identiques dans leur caractère de vacuité, on se concentre sur la vacuité. Lorsque la méditation sur l'entraînement de l'esprit et l'entraînement à la concentration ont porté leurs fruits, commence alors la pratique de la vacuité.

En général, il n'est pas nécessaire d'abstraire de sa pensée l'apparence de l'objet lorsqu'on médite sur la vacuité, mais puisque ce sont des pratiques tantriques qui nous occupent ici, il est recommandé d'abstraire de son esprit l'apparence des objets.

Il y a deux façons possibles d'entamer cette pratique : nous pouvons d'abord dissoudre toutes les apparences, puis méditer sur la vacuité, ou méditer d'abord sur la vacuité et ensuite dissoudre toutes les apparences des objets.

À présent, expliquons brièvement le processus réel de la méditation sur la vacuité. Il est très important à ce stade d'identifier ce dont l'existence doit être niée.

Les principales écoles bouddhiques admettent les axiomes connus sous l'appellation de « quatre sceaux du bouddhisme ». Ces quatre axiomes sont les suivants :

• Tout ce qui résulte de causes est impermanent.

• Tous les phénomènes contaminés sont souffrance par nature.

• Tous les phénomènes sont absence de soi et vacuité.

• Seule la transcendance de la souffrance (ou nirvâna) est paix.

(L'absence de soi fait ici référence au caractère de vacuité de tout individu autonome.)

Pour méditer sur la vacuité, nous devons tout d'abord identifier cette vacuité sur laquelle nous méditons, autrement dit la chose dont l'existence doit être niée. Si l'on n'identifie pas l'objet de la négation, on ne peut pas se faire une image de son absence. Pour cela, il est plus pratique de réfléchir d'abord sur sa propre personne.

Lorsque vous vous dites tout naturellement : « *Je* fais, *je* mange, *je* reste », examinez simplement quelle modalité du « soi » – ou quel « je » – apparaît à votre esprit. Essayez ensuite diverses techniques. Tâchez de vous souvenir de situations déplaisantes où l'on vous a injustement blâmé, par exemple, ou de situations gratifiantes où l'on vous a couvert de louanges. Au cours de ces expériences, votre état d'esprit était très fluctuant, mais, sur le moment, il vous semblait avoir une perception très claire de ce « soi », de ce « je ».

Lorsque ce « je » est apparu à votre esprit, était-ce comme une chose distincte de votre corps et de votre esprit, comme une entité indépendante ? Cette forme de « je » ou de « soi », qui vous apparaît de façon si vivace que vous croyez pouvoir le toucher du doigt, cet élément indépendant de votre propre corps et de votre propre esprit, ce « je » est la projection mentale la plus erronée qui soit : ce qu'il va falloir nier n'est autre que ce « je ».

Telle est donc la première démarche essentielle, celle qui consiste à identifier ce qui doit être nié.

Le deuxième point essentiel consiste à se demander si – dans l'hypothèse de l'existence d'un « je », d'un « soi » indépendant – celui-ci existe comme faisant un avec le corps et l'esprit, ou s'il en est réellement distinct ; ou bien s'il existe une troisième modalité d'existence possible.

Il faut considérer les différentes options, et vous vous apercevrez que si ce « je » existe en tant qu'entité indépendante, il devrait soit ne faire qu'un avec le corps et l'esprit – donc se confondre avec les agrégats –, soit en être distinct car il n'existe pas de troisième voie en matière d'existence.

Tel est le deuxième point essentiel : soit le « je » fait corps avec les agrégats, soit il en est absolument distinct.

Réfléchissons maintenant sur l'idée que, si le « je » et les agrégats ne font qu'un, alors de même que le « soi » est un, le corps et l'esprit devraient être un, étant identifiés au « soi ». Si, en revanche, le « soi » est distinct des agrégats, ces derniers étant multiples, le « soi » devrait l'être aussi.

Réfléchissez ensuite au fait que si ce « soi » ou ce « je » indépendant existait comme une entité séparée, véritablement distincte des agrégats, dans ce cas il devrait être tangible même après que les agrégats ont cessé d'exister. Or ce n'est pas le cas.

En menant l'enquête selon cette méthode, vous vous rendrez compte qu'un tel « je » ne peut être identifié à partir des agrégats.

Ce raisonnement vous permettra de découvrir que le « je », ou le « soi » indépendant qui était précédemment apparu à votre conscience est une notion erronée ou une projection de l'esprit. En fait, il n'existe pas.

Par exemple, à l'aube ou au crépuscule, lorsque la lumière est basse, on peut prendre pour un serpent un cordage enroulé sur lui-même, et avoir peur. Mis à part l'image du serpent dans l'esprit de la personne qui a peur, aucun sentiment de l'existence réelle d'un serpent n'existe du côté de l'objet – c'est-à-dire de la corde.

Il en va de même avec les agrégats. Lorsque vous percevez en eux les apparences du « soi », bien que ces apparences semblent émaner des agrégats eux-mêmes, il n'y a pas, du côté des agrégats, la plus petite particule qu'on puisse identifier comme étant le « soi ». Ce cas est identique à l'exemple précédent, où le serpent, dénué d'existence réelle, n'est rien d'autre qu'une projection de l'esprit.

De la même façon, lorsque nous percevons ou appréhendons une personne comme étant distincte de ses agrégats, l'existence réelle de la personne ne peut être confirmée à partir des agrégats : il n'y a rien d'autre qu'une étiquette dont les agrégats sont le support. Dès lors qu'aucune essence propre à l'objet concerné n'existe, on en revient à la même situation.

Quant aux états de l'objet, si on les observe du point de vue de l'objet, il n'existe entre eux aucune différence. La distinction ne peut être faite que par l'esprit qui perçoit, donc du côté du sujet. Lorsque nous baptisons du nom de « serpent » ce rouleau de corde, c'est une idée fausse. Au bout d'un moment, le soleil se lève, nous voyons clairement l'objet, et pouvons dissiper l'erreur de jugement grâce à un mode valide de cognition, grâce à un autre type de conscience.

Cette étiquette de « serpent » appliquée au rouleau de corde peut être nuisible. Néanmoins, dans le cas d'une personne, même si celle-ci n'a pas de réalité objective, si vous attribuez aux agrégats les qualités d'une personne, cela peut passer. Il n'existe aucune autre forme de conscience qui soit en mesure de dissiper ce malentendu.

Pourtant, si l'on en venait à conclure que, par conséquent, cette personne n'existe pas du tout, notre propre expérience viendrait contredire cette conclusion erronée. C'est donc uniquement à partir de la conscience subjective – celle qui pose les étiquettes – que l'on peut justifier l'existence de la personne. C'est la raison pour laquelle on dit que les choses n'ont qu'une existence nominale. Mais il n'existe pas de réalité objective.

## 11

## Une responsabilité universelle

Je dois mentionner ici que je ne souscris pas à l'idée de créer des mouvements ou d'embrasser des idéologies. Je n'approuve pas non plus la pratique consistant à instaurer une organisation vouée à la propagation d'une idée particulière, ce qui sous-entend que toute la responsabilité de la réalisation du but en question incombe à un seul groupe d'individus, alors que tous les autres en sont exempts. Dans le contexte actuel, aucun d'entre nous ne peut se permettre de partir du principe que quelqu'un d'autre va résoudre nos problèmes ; chacun doit assumer sa propre part d'une responsabilité devenue universelle. De cette manière, au fur et à mesure de l'augmentation du nombre d'individus concernés et responsables, des dizaines, des centaines, des milliers, voire des centaines de milliers d'individus de ce genre amélioreront grandement l'atmosphère générale. Les changements positifs ne sont pas rapides et demandent des efforts soutenus. Si nous nous décourageons, nous risquons de ne même pas atteindre les objectifs les plus simples. Mais une application constante et déterminée nous permettra de réaliser les projets les plus difficiles.

L'adoption d'une attitude de responsabilité universelle est avant tout une question d'engagement personnel. Notre degré réel de compassion ne se juge pas à l'aune des propos tenus au cours de discussions abstraites, mais sur la base de notre comportement quotidien. Il n'en est pas moins vrai que la pratique de l'altruisme repose sur certaines notions essentielles. Bien qu'aucun système de gouvernement ne soit parfait, la démocratie est celui qui se rapproche le plus de la nature fondamentale de l'homme. C'est pourquoi ceux d'entre nous qui ont le privilège de vivre en démocratie doivent continuer à se battre pour que tous puissent y avoir droit. En outre, la démocratie est le seul fondement stable sur lequel puisse se construire une structure politique au niveau mondial. Pour travailler en tant qu'entité globale, nous devons respecter le droit de tous les peuples et de toutes les nations à préserver leur caractère spécifique et les valeurs qui leur sont propres.

En particulier, d'énormes efforts seront nécessaires pour introduire la compassion dans le domaine du commerce international. Les inégalités économiques, en particulier entre les pays développés et ceux en voie de développement, restent la plus grande source de souffrance sur cette planète.

Même si cela leur fait perdre de l'argent à court terme, les grandes sociétés multinationales doivent freiner leur exploitation des pays pauvres. Le pillage des rares ressources précieuses que possèdent ces pays défavorisés, dans le simple dessein de stimuler la consommation des pays développés, est un désastre ; si la situation perdure sans aucun contrôle, c'est finalement nous tous qui allons souffrir. Renforcer des économies faibles et peu diversifiées est une politique beaucoup plus sage, si l'on veut promouvoir la stabilité et sur le plan économique et sur le plan politique. Aussi idéaliste que cela puisse paraître, c'est l'altruisme – et pas simplement la compétition et l'appât du gain – qui devrait être l'un des moteurs du monde des affaires.

Il est également nécessaire de renouveler notre engagement pour la défense des valeurs humaines dans le domaine de la science moderne. Bien que la science ait pour principal objectif une compréhension toujours plus grande du réel, elle a aussi pour but d'améliorer la qualité de la vie. En l'absence de motivations altruistes, les scientifiques ne savent pas faire la différence entre les techniques bénéfiques et celles qui sont simplement opportunes. Les dégâts écologiques infligés à notre environnement sont l'exemple le plus flagrant des conséquences d'une telle confusion des valeurs, mais le fait d'obéir à des motivations correctes prend toute sa pertinence lorsqu'il s'agit de contrôler l'extraordinaire panoplie de technologies biologiques nouvelles grâce auxquelles nous pouvons manipuler la vie elle-même jusque dans ses structures subtiles. Si chacune de nos actions n'est pas fondée sur une éthique, nous courons le risque d'infliger de terribles dégâts à la fragile matrice de la vie.

Les religions du monde ne peuvent pas s'exempter de cette responsabilité. Le but de la religion n'est pas de construire de belles églises ou de beaux temples, mais de cultiver des qualités humaines positives telles que la tolérance, la générosité et l'amour. Toutes les religions du monde, quelle que soit leur vision philosophique, se fondent d'abord et avant tout sur le précepte selon lequel nous devons dompter notre égoïsme et nous mettre au service d'autrui. Malheureusement, il arrive que la religion elle-même cause plus de conflits qu'elle n'en résout. Les pratiquants des diverses croyances devraient réaliser que chaque tradition religieuse possède une immense valeur intrinsèque et a les moyens de leur apporter la santé mentale et spirituelle. Mais une religion unique – au même titre qu'un type de nourriture unique – ne peut pas faire l'unanimité. En fonction des dispositions mentales diverses et variées de chacun, certains types d'enseignements vont convenir aux uns plutôt qu'aux autres. Toute forme de croyance est apte à faire naître des gens magnifiques au cœur généreux – c'est ce que toutes les religions ont réussi à faire, malgré leur adhésion à des visions philosophiques souvent contradictoires. Il n'y a donc aucune raison de s'engager dans l'intolérance ou le fanatisme religieux, qui ne font que diviser ; en revanche, nous avons toutes les raisons d'aimer et de respecter toutes les formes de pratique spirituelle.

Nous vivons l'une des périodes les plus douloureuses de l'histoire humaine, une époque où, en raison de l'augmentation spectaculaire du pouvoir destructeur des armes, des hommes, plus que jamais par le passé, ont souffert et sont morts. De plus, nous avons aussi été témoins d'une vaste compétition, qui a bien failli être fatale, entre les idéologies fondamentales qui ont toujours déchiré la communauté des hommes : la force et le pouvoir brutal d'un côté, et de l'autre la liberté, le pluralisme, les droits individuels et la démocratie. Je crois que les résultats de cette grande compétition sont clairs à présent. Bien que ce bel esprit humaniste de paix, de liberté et de démocratie soit encore confronté à de nombreux visages de la tyrannie et du mal, il n'en est pas moins incontestable que c'est cet esprit-là qu'une vaste majorité de gens, partout dans le monde, souhaitent voir triompher. Ainsi, les tragédies de notre temps n'ont pas été totalement dénuées d'avantages, et elles ont été dans de nombreux cas le moyen même grâce auquel l'esprit humain a pu s'ouvrir. L'effondrement du communisme en est la démonstration.

Bien que le communisme ait embrassé un grand nombre de nobles idéaux, y compris l'altruisme, les tentatives de la part de ses élites dirigeantes d'imposer leurs vues se sont avérées désastreuses. Ces gouvernements se sont efforcés d'imposer le contrôle total du flux d'informations à travers toute la société, et de structurer les systèmes éducatifs de sorte que les citoyens œuvrent au bien commun. Bien qu'une organisation rigide ait pu être nécessaire au début pour détruire des régimes auparavant tyranniques, une fois ce but atteint, l'organisation n'avait plus guère d'efforts à faire pour aller vers l'instauration d'une communauté humaine utile à tous. Or le communisme a totalement échoué, parce qu'il comptait sur la force pour promouvoir ses convictions. En définitive, la nature humaine a été incapable d'endurer la souffrance engendrée par ce système.

La force brute, quelle que soit la vigueur de son application, ne peut jamais venir à bout du désir fondamental de liberté qui est le propre de l'homme. Les centaines de milliers de manifestants qui ont arpenté les rues des villes d'Europe de l'Est en sont la preuve. Ils ont simplement exprimé cette soif très humaine de liberté et de démocratie. C'était très émouvant. Leur demande n'avait rien à voir avec une quelconque idéologie nouvelle ; ces gens parlaient simplement du fond du cœur, partageant un même désir de liberté, démontrant que ce désir émane du plus profond de la nature humaine. La liberté, en fait, est la source même de la créativité, tant pour les individus que pour la société. Il ne suffit pas, comme le supposaient les systèmes communistes, de fournir aux hommes de quoi se nourrir, se loger et se vêtir. Si ces besoins sont satisfaits, mais qu'il nous manque ce précieux souffle de liberté pour nourrir notre nature profonde, alors nous ne sommes humains qu'à demi ; nous sommes comme des animaux qui se contentent de la simple satisfaction de leurs besoins physiques.

J'ai le sentiment que les révolutions dans l'ancienne Union soviétique et en Europe de l'Est nous ont donné pas mal de leçons majeures. L'une d'elles concerne la valeur de la vérité. Les gens ont horreur d'être tyrannisés, trompés, abreuvés de mensonges, que ce soit par un individu ou par un système. De tels actes vont à l'encontre de l'essence même de la mentalité des hommes. Et, par conséquent, ceux qui pratiquent la tromperie et font usage de la force auront beau glaner des succès considérables à court terme, ils finiront fatalement par être renversés.

D'autre part, tout le monde apprécie la vérité, et ce respect de la vérité coule littéralement dans nos veines. La vérité est le meilleur garant et le véritable fondement de la liberté et de la démocratie. Peu importe que vous soyez fort ou faible, ou que votre cause ait une foule ou rien qu'une poignée de défenseurs : la vérité aura toujours le dernier mot. Le fait que les mouvements pour la liberté, qui ont réussi en 1989 et plus tard, aient eu pour fondement l'expression véridique des sentiments les plus fondamentaux des populations, vient nous rappeler à point nommé que la vérité elle-même est encore trop souvent absente de notre vie politique. C'est surtout dans la conduite des relations internationales que nous ne respectons guère la vérité. Inévitablement, les pays les plus faibles sont manipulés et opprimés par les pays les plus forts, de même que, dans la plupart des sociétés, les couches les plus vulnérables souffrent entre les mains des riches et des puissants. Bien que, dans le passé, la simple expression de la vérité ait généralement été exclue parce que jugée peu réaliste, ces dernières années ont démontré l'immense force qu'elle représente dans l'esprit des hommes, et par voie de conséquence dans le façonnement de l'histoire.

Une autre grande leçon que nous a apprise l'Europe de l'Est a été celle du changement pacifique. Autrefois, les peuples asservis avaient souvent recours à la violence dans leur lutte pour la liberté. À présent, dans le sillage du Mahatma Gandhi et de Martin Luther King, ces révolutions pacifiques offrent aux générations futures le merveilleux exemple d'un changement non violent réussi. Lorsque, dans l'avenir, de futurs changements majeurs dans la société seront de nouveau nécessaires, nos descendants pourront, en se tournant vers le passé, voir dans notre époque le paradigme de la lutte pacifique, et sa réussite spectaculaire à une échelle sans précédent, impliquant plus d'une douzaine de nations et des centaines de millions d'hommes. En outre, les événements récents ont démontré que ce double désir de paix et de liberté est présent au niveau le plus fondamental de la nature humaine, et que la violence en est l'antithèse absolue.

Je pense qu'il est d'une importance vitale de prendre à bras-le-corps ce problème de la violence, dont l'élimination à tous les niveaux est la base indispensable de la paix dans le monde et le but ultime de toute forme d'ordre international.

Chaque jour les médias font état d'incidents liés au terrorisme, aux crimes, aux agressions. Dans chacun des pays où j'ai séjourné, dans la presse et à la radio, tout

n'était qu'étalage d'histoires tragiques de morts et d'effu-
sions de sang. Ces récits sont presque devenus une
drogue, tant pour les journalistes que pour le public. Mais
l'immense majorité de l'espèce humaine n'a pas un comportement destructeur, et sur les cinq milliards d'habitants
vivant aujourd'hui sur cette planète, très peu commettent
effectivement des actes de violence. Nous préférons, en
général vivre, autant que possible, une vie paisible.

Au fond, nous aimons tous la tranquillité – même ceux
d'entre nous qui sont enclins à la violence. Par exemple,
quand vient le printemps, les jours s'allongent, l'herbe et
les arbres reprennent vie, et tout respire la fraîcheur. Les
gens se sentent heureux. En automne, les feuilles tom-
bent l'une après l'autre, et toutes les fleurs magnifiques
meurent jusqu'à ce que nous soyons entourés de plantes
dénudées, dépouillées de leur feuillage. Nous ne sommes
plus aussi joyeux. Pourquoi cela ? Parce qu'au fond de
nous-mêmes, nous désirons voir les choses croître et
grandir, porter des fruits et nous détestons qu'elles
s'effondrent, meurent ou soient détruites. Toute action
destructrice va à l'encontre de notre nature profonde ;
bâtir, être constructif : telle est la voie de l'homme. Je suis
sûr que tout le monde s'accorde à penser que nous
devons surmonter la violence, mais, pour pouvoir l'éliminer complètement, nous devons d'abord nous demander
si elle a oui ou non une quelconque valeur. Si l'on
aborde cette question d'un point de vue strictement pratique, on s'aperçoit que, dans certaines circonstances, la
violence semble effectivement utile. On résout plus rapidement un problème en recourant à la violence. Mais, en
même temps, ce succès a souvent lieu aux dépens des
droits et du bien-être d'autrui. Il en résulte que, même si
le problème a été réglé, les graines d'un nouveau problème ont été semées.

D'un autre côté, si la cause que l'on défend s'appuie
sur des arguments valides, l'usage de la violence ne sert à
rien. Ceux qui comptent sur la force sont précisément
ceux qui n'ont d'autre motif qu'un désir égoïste, et qui ne

peuvent pas atteindre leur but par la logique du raisonnement. Même dans les conflits familiaux ou entre amis,
ceux qui s'appuient sur ces raisons valables peuvent les
citer l'une après l'autre et défendre leurs convictions point
par point, tandis que ceux qui sont à court d'arguments
rationnels se laissent rapidement gagner par la colère. La
colère n'est donc pas un signe de force, mais de faiblesse.
En définitive, il importe d'analyser ses propres motivations
et celles de son opposant. Il existe de nombreuses formes
de violence et de non-violence, mais on ne peut pas les
différencier sur la seule base de facteurs extérieurs. Si
l'on a des motivations négatives, l'action qui en résulte
est, au sens le plus profond, violente, même si elle peut
sembler inoffensive et douce. À l'inverse, si notre motivation est sincère et positive, mais que les circonstances
exigent de la dureté, l'action entreprise est pour l'essentiel non violente. Quel que soit le cas, j'ai le sentiment
que l'empathie, le souci du bien-être d'autrui – et pas
simplement du nôtre – sont l'unique justification de
l'usage de la force.

La pratique authentique de la non-violence en est encore
plus ou moins au stade expérimental sur notre planète, mais
sa poursuite, fondée sur l'amour et la compréhension, est
une chose sacrée. Si cette expérience réussit, elle peut
ouvrir la voie à un monde beaucoup plus pacifique.

J'ai entendu çà et là des Occidentaux affirmer que les
luttes de longue haleine à la manière de Gandhi, recourant à la résistance passive et non violente, ne conviennent
pas à tout le monde, et que cette façon d'agir est plus
naturelle en Orient. Parce qu'ils sont actifs, les Occidentaux ont tendance à vouloir des résultats rapides en toute
situation, même au prix de leur vie. Cette approche, à
mon sens, n'est pas toujours bénéfique. Assurément, la
pratique de la non-violence convient à nous tous. Elle
requiert simplement de la détermination. Même si les
mouvements pour la liberté en Europe de l'Est ont atteint
leur but rapidement, la contestation non violente, de par
sa nature même, exige de la patience.

À ce propos, je prie pour qu'en dépit de la brutalité de la répression et des difficultés rencontrées dans leur lutte ceux qui, en Chine, participent au mouvement démocratique restent toujours pacifiques. Je suis persuadé qu'ils le resteront. Bien que la majorité des jeunes étudiants chinois impliqués soient nés et aient été éduqués sous la tutelle d'un communisme particulièrement dur, pendant l'été de 1989 ils ont spontanément mis en œuvre la stratégie de résistance passive chère au Mahatma Gandhi. C'est un fait remarquable qui montre clairement que tous les êtres humains ont envie de suivre la voie de la paix, quel que soit le degré d'endoctrinement subi.

Je vois le Tibet comme une « zone de paix » – pour reprendre une expression que j'ai déjà utilisée par le passé –, c'est-à-dire une zone neutre, un sanctuaire démilitarisé où les armes sont prohibées et où la population vit en harmonie avec la nature. Et il ne s'agit pas que d'un rêve : c'est précisément ainsi que les Tibétains se sont efforcés de vivre pendant plus de mille ans, avant l'invasion de leur pays. Comme chacun sait, au Tibet, toutes les formes de vie sauvage ont été strictement protégées, en accord avec les principes du bouddhisme. En outre, depuis au moins trois cents ans, nous n'avons pas eu d'armée proprement dite. Le Tibet avait renoncé dès le VIᵉ et le VIIᵉ siècle à utiliser la guerre comme outil politique à l'échelon national, après le règne de nos trois grands rois religieux.

À propos du développement de communautés régionales et de l'effort de désarmement, j'aimerais suggérer l'idée que le « cœur » de chaque communauté puisse être constitué d'une ou de plusieurs nations ayant décidé de devenir des zones de paix, des régions d'où toute force militaire serait bannie. Là encore, il ne s'agit pas d'un rêve. En décembre 1948, le Costa Rica a démantelé son armée. Et en 1989, 37 % de la population suisse a voté en faveur du renvoi des militaires dans leurs foyers. Si le peuple en fait le choix, un pays peut prendre des mesures radicales pour changer jusqu'à sa nature même.

Des zones de paix au sein de communautés régionales feraient office d'oasis de stabilité. Tout en participant équitablement au coût d'une éventuelle force collective, créée par l'ensemble de la communauté, ces zones de paix seraient les précurseurs et les phares d'un monde entièrement pacifique, et seraient dispensées de toute participation à un quelconque conflit. Si des communautés régionales se mettent effectivement en place en Asie, en Amérique du Sud et en Afrique, et que le désarmement progresse de telle sorte qu'une force internationale issue de toutes les régions soit créée, ces zones de paix seront à même de s'étendre, propageant la tranquillité au fur et à mesure de leur expansion.

Je n'ai pas inclus dans cette discussion les Nations unies de l'époque actuelle, car le rôle crucial que joue cette organisation dans l'instauration d'un monde meilleur est bien connu, au même titre que ses immenses potentialités à la réaliser. Par définition, les Nations unies doivent être au cœur même de tous les changements majeurs susceptibles d'avoir lieu. Cependant, des aménagements structurels sont sans doute nécessaires dans l'avenir. J'ai toujours mis beaucoup d'espoir dans les Nations unies, mais, sans intention critique de ma part, j'aimerais simplement souligner que le climat de cet après-guerre, où fut conçue la charte des Nations unies, a changé. Ce changement offre aux Nations unies l'occasion d'une ouverture démocratique plus avancée, surtout en ce qui concerne le Conseil de sécurité, club quelque peu fermé avec ses cinq membres permanents, et dont il faudrait élargir la représentativité.

Je suis optimiste par rapport à l'avenir. Certaines mouvances récentes laissent pressentir les grandes aptitudes qui sont les nôtres à créer un monde meilleur. Jusque dans les années 1950 et 1960, on croyait la guerre indissociable de la condition humaine. La guerre froide, en particulier, a renforcé l'idée que des systèmes politiques antagonistes ne pouvaient que s'affronter, au lieu de rivaliser, voire de collaborer. Cette thèse n'a plus guère d'avocats. Aujourd'hui, aux quatre coins de la planète, les gens se sentent authentiquement concernés par la paix du monde. Ils sont beaucoup moins intéressés par l'élaboration d'idéologies, et beaucoup plus concernés par la coexistence. C'est là une évolution très positive.

Par ailleurs, pendant des milliers d'années, on a cru que seule une organisation autoritaire ayant recours à des méthodes rigides de discipline était capable de gouverner la société des hommes. Pourtant, les gens ont une soif innée de liberté et de démocratie, et ces deux forces ont longtemps été en conflit. L'issue du combat est claire aujourd'hui. L'émergence de mouvements populaires non violents a montré de manière éloquente que l'espèce humaine ne peut ni tolérer la tyrannie, ni fonctionner correctement sous un régime tyrannique. La reconnaissance de ce fait représente un remarquable progrès.

Une autre évolution prometteuse est la compatibilité croissante entre science et religion. Pendant tout le XIXᵉ siècle et une bonne partie du XXᵉ, les gens ont été profondément troublés par le conflit opposant les points de vue en apparence contradictoires de la science et de la religion. Aujourd'hui, la physique, la biologie et la psychologie ont atteint des niveaux de sophistication tels que de nombreux chercheurs commencent à aborder les interrogations les plus profondes quant à la nature ultime de l'univers et de la vie, ces questions étant celles-là même auxquelles les religions portent le plus grand intérêt. Ainsi, l'éventualité d'une vision des choses plus unifiée devient réelle. Il semble, en particulier, qu'une nouvelle conception de l'esprit et de la matière soit en train d'émerger. L'Orient s'est plus préoccupé de la compréhension de l'esprit, et l'Occident, de celle de la matière. À présent que tous deux se sont rejoints, ces deux conceptions de la vie, l'une matérielle, l'autre spirituelle, pourraient être plus en harmonie.

Nos changements rapides d'attitude à l'égard de la terre sont une autre source d'espoir. Jusqu'à une époque remontant à dix ou quinze ans, nous avons consommé toutes ses ressources avec insouciance, comme si elles étaient inépuisables. À présent, non seulement les individus, mais aussi les gouvernements sont à la recherche d'un nouvel ordre écologique. Je dis souvent en plaisantant que la lune et les étoiles ont beau avoir l'air magnifiques, si l'un ou l'autre d'entre nous voulait tenter d'y vivre, nous serions très malheureux. Notre planète bleue est l'habitat le plus merveilleux qui soit à notre connaissance. Sa vie se confond avec la nôtre ; son avenir est notre avenir. Et bien que je ne croie pas que la terre soit un être sensible, elle se comporte effectivement envers nous comme une mère, et, tout comme des enfants, nous dépendons d'elle. Mère Nature nous demande aujourd'hui de coopérer. Face à des problèmes devenus planétaires, tels que l'effet de serre et la destruction de la couche d'ozone, les organisations individuelles et les nations isolées sont désarmées. Si nous n'agissons pas ensemble, il n'y aura pas de solution. Notre mère nous donne une leçon de responsabilité universelle.

Je crois pouvoir dire qu'en raison des leçons que nous avons commencé à apprendre le siècle à venir sera plus convivial, plus harmonieux et moins dangereux. La compassion, cette semence de paix, pourra s'épanouir. Je suis plein d'espoir. En même temps, je crois que chaque individu a pour responsabilité de contribuer à guider notre famille mondialisée dans la bonne direction. Il ne suffit pas de faire des vœux pieux, nous devons assumer nos responsabilités. De larges mouvements émergent à partir d'initiatives individuelles. Si vous avez l'impression que vous ne pouvez pas agir sur les choses, votre voisin risque de se décourager aussi, et vous aurez manqué une belle occasion. En revanche, chacun d'entre nous peut en inspirer d'autres, en s'efforçant simplement de mettre en œuvre nos propres motivations altruistes.

Je suis certain que, partout dans le monde, de nombreuses personnes honnêtes et sincères partagent d'ores et déjà les points de vue que j'ai exprimés ici. Malheureusement, personne ne les écoute. Bien que ma voix risque elle aussi de passer inaperçue, j'ai estimé qu'il était de mon devoir de parler en leur nom. Bien sûr, certains peuvent trouver très présomptueux que le dalaï-lama ose écrire de telles choses. Mais, depuis que j'ai reçu le prix Nobel de la paix (en 1989), j'estime que cela relève de ma responsabilité. Si j'avais simplement pris l'argent du Nobel pour le dépenser à ma guise, on aurait pu conclure que mon unique raison d'avoir, dans le passé, prononcé toutes ces belles paroles était le désir de décrocher le prix ! Pourtant, maintenant que je l'ai reçu, en remerciement de cet honneur, je me fais un devoir de continuer à défendre les positions que j'ai toujours exprimées.

Oui, je le crois vraiment, les individus peuvent faire toute la différence au sein d'une société. Et puisque des périodes de grands changements telles que l'époque actuelle sont rares dans l'histoire de l'humanité, il incombe à chacun d'entre nous de faire le meilleur usage du temps qui nous est imparti, afin de contribuer à créer un monde plus heureux.

# 12

## LA SCIENCE À LA CROISÉE DES CHEMINS

*Cet article est fondé sur une intervention du dalaï-lama dans le cadre de la réunion annuelle de la Société des neurosciences, le 12 novembre 2005 à Washington.*

Ces dernières décennies ont été le théâtre d'avancées spectaculaires dans la compréhension du cerveau et du corps humain dans sa globalité. En outre, grâce aux évolutions récentes de la génétique, la connaissance qu'ont les neurosciences du fonctionnement des organismes biologiques atteint à présent les niveaux les plus subtils – ceux des gènes individuels. Toute cette recherche a débouché sur des potentialités techniques inédites allant jusqu'à la manipulation des codes mêmes de la vie et ouvrant ainsi la perspective de donner jour à des réalités nouvelles pour l'ensemble de l'humanité. Aujourd'hui, la question de l'interconnexion entre la science et des pans de l'humanité de plus en plus larges n'est plus un sujet réservé aux cercles intellectuels ; cette question *doit* prendre un caractère d'urgence pour tous ceux qui se préoccupent du sort de l'existence humaine. Voilà pourquoi j'ai le sentiment qu'un dialogue entre les neurosciences et la société pourrait nous permettre de comprendre mieux et plus en profondeur ce que cela signifie que de faire partie de l'espèce humaine, et aussi de mieux cerner nos responsabilités envers cet univers naturel que nous partageons avec d'autres êtres sensibles. Je suis heureux de constater, en tant que membre de ce large public à l'écoute, que certains neurobiologistes manifestent un intérêt croissant à l'approfondissement de leur dialogue avec les disciplines contemplatives du bouddhisme.

Bien que l'intérêt que je porte à la science n'ait été au début qu'une curiosité de petit garçon turbulent grandissant au Tibet, l'importance colossale de la science et de la technologie pour la compréhension du monde moderne m'a bientôt frappé comme une **évidence**. Je me suis non seulement efforcé de saisir certaines notions scientifiques spécifiques, mais j'ai aussi essayé d'explorer les implications plus vastes des nouvelles avancées de la connaissance humaine et du pouvoir technologique apparu grâce à la science. Les domaines de la science que j'ai explorés le plus au fil des années ont été la physique subatomique, la cosmologie, la biologie et la psychologie. La compréhension limitée que j'ai de ces domaines de connaissance, je la dois à toutes ces heures si généreusement accordées que j'ai partagées avec Carl von Weizsäcker et le regretté David Bohm, que je considère tous deux comme mes maîtres en mécanique quantique, comme l'ont été dans le domaine de la biologie, et particulièrement des neurosciences, le regretté Robert Livingstone et Francisco Varela. Je leur exprime ici toute ma reconnaissance. J'ai également beaucoup de gratitude envers les nombreux scientifiques éminents avec lesquels j'ai eu le privilège d'engager le dialogue sous les auspices du Mind and Life Institute (« Institut de l'esprit et de la vie »), qui fut à l'initiative d'un cycle de conférences sur l'esprit et la vie, entamé en 1987 dans ma résidence de Dharamsala, en Inde. Ces dialogues se sont poursuivis au fil des années, et en fait le dernier en date de ce cycle de dialogues « Esprit et Vie » a eu lieu à Washington, en 2008.

Certains pourraient se dire : « Mais qu'est-ce qui pousse un moine bouddhiste à s'intéresser à ce point à la science ? Quel rapport peut-il y avoir entre le bouddhisme, vieille tradition philosophique et spirituelle de l'Inde, et la science moderne ? Quel bénéfice éventuel une discipline scientifique telle que les neurosciences pourrait-elle tirer d'un dialogue avec la tradition contemplative du bouddhisme ? »

Bien que cette tradition contemplative bouddhique et la science moderne aient évolué à partir de racines historiques, intellectuelles et culturelles différentes, je crois qu'au plus profond d'elles-mêmes, elles ont des points de convergence, surtout en termes d'attitude philosophique fondamentale et de méthodologie. Au niveau philosophique, le bouddhisme et la science moderne ont en commun une suspicion profonde à l'égard de toute notion d'absolu, qu'il soit conceptualisé sous forme d'un être transcendant, d'un principe éternel et immuable tel que l'âme, ou encore d'un substrat sur lequel se fonde la réalité. Le bouddhisme et la science préfèrent l'un comme l'autre expliquer l'émergence et l'évolution du cosmos et de la vie en termes d'interrelations complexes entre les lois naturelles de cause et d'effet. À partir de cette perspective méthodologique, les deux traditions soulignent le rôle clé de l'empirisme. Par exemple, dans la tradition bouddhiste d'investigation, des trois sources de connaissance que sont l'expérience, la raison et le témoignage, c'est la preuve tirée de l'expérience qui a la priorité, la raison venant en second lieu et le témoignage en dernier. Ce qui veut dire que, dans l'exploration de la réalité selon le bouddhisme, en théorie au moins, la preuve expérimentale devrait primer sur l'autorité des écritures, si vénérées soient-elles. Même dans le cas de connaissances issues du raisonnement ou de l'inférence, leur validité doit en dernière analyse découler de faits validés par l'observation et l'expérimentation. Sur la base de cette position méthodologique, j'ai souvent fait remarquer à mes collègues bouddhistes que les visions empiriquement vérifiées de la cosmologie et de l'astronomie modernes doivent à présent nous obliger à modifier, voire dans certains cas à rejeter de nombreux aspects de la cosmologie traditionnelle tels qu'ils figurent dans certains textes bouddhiques anciens.

Étant donné que la motivation première qui sous-tend l'exploration du réel telle que la voit le bouddhisme est avant tout une quête visant à vaincre la souffrance et à améliorer la condition humaine, la tradition bouddhique d'investigation s'est orientée en priorité vers la compréhension de l'esprit humain et de ses diverses fonctions. L'idée implicite, c'est qu'une perception plus profonde de la psyché humaine nous permettrait sans doute de trouver divers moyens de transformer nos pensées, nos émotions et leurs tendances sous-jacentes, et d'accéder ainsi à un mode de vie plus sain et plus épanouissant. C'est dans ce contexte que la tradition bouddhique a élaboré une classification très complète de nos états mentaux, et toute une série de techniques contemplatives destinées à affiner certaines qualités mentales spécifiques. C'est pourquoi il peut être à la fois extrêmement intéressant et potentiellement fructueux qu'il y ait un véritable échange entre le savoir et l'expérience engrangés par le bouddhisme et par la science sur un large éventail de sujets relatifs à l'esprit humain, allant de la cognition et de l'émotion jusqu'à la compréhension des capacités de changement inhérentes au cerveau humain. Ma propre expérience a été enrichie par les conversations que j'ai eues avec des neurobiologistes et des psychologues, sur des questions telles que la nature et le rôle des émotions positives et négatives, de l'attention, de l'imaginaire, ou encore sur la plasticité du cerveau. La preuve sans équivoque qu'apportent les neurosciences et la médecine du rôle décisif que joue le toucher, le simple contact physique, dans la croissance physiologique du cerveau d'un nouveau-né dans les premières semaines de sa vie, ne fait que confirmer l'évidence d'un lien intime existant entre la compassion des uns et le bonheur des autres.

Le bouddhisme soutient depuis longtemps l'idée qu'un formidable potentiel de transformation existe de façon spontanée au sein de l'esprit humain. Pour l'appuyer, la tradition a mis au point un vaste éventail de techniques contemplatives ou de formes de méditation visant spécifiquement deux objectifs principaux – la mise en pratique d'une compassion venue droit du cœur, et la culture d'une vision lucide de la nature de la réalité – auxquels on se réfère sous le terme d'union de la compassion et de la sagesse. Au cœur de ces pratiques de méditation se situent deux techniques clés, d'une part l'affinement de l'attention et son application soutenue, et de l'autre la régulation des émotions et leur transformation. Dans les deux cas, je crois qu'il pourrait exister, entre la tradition contemplative bouddhique et les neurosciences, de grandes perspectives de collaboration dans la recherche. Par exemple, les neurosciences modernes sont parvenues à une compréhension très pointue des mécanismes du cerveau liés à l'attention et aux émotions. Compte tenu de l'intérêt séculaire qu'il porte, à travers sa tradition contemplative, à la pratique de l'entraînement mental, le bouddhisme propose de son côté des techniques pratiques destinées à affiner l'attention, et à réguler et transformer les émotions. La rencontre entre les neurosciences modernes et la discipline contemplative du bouddhisme pourrait donc déboucher sur l'éventualité d'une étude de l'impact des activités mentales délibérées sur les circuits neuronaux ayant été identifiés comme jouant un rôle clé dans certains processus mentaux spécifiques. Une telle rencontre interdisciplinaire pourrait tout au moins nous inciter à soulever des questions cruciales dans de nombreux domaines. Par exemple, l'aptitude qu'ont les individus à réguler leurs émotions et leur attention est-elle déterminée une fois pour toutes, ou bien, comme l'affirme la tradition bouddhique, leur aptitude à réguler ces processus est-elle très malléable, ce qui suggère un degré équivalent de souplesse des systèmes cérébraux et comportementaux liés à ces fonctions ? S'il est un domaine où la tradition contemplative bouddhique a sans doute d'importantes contributions à faire, c'est celui des techniques pratiques qu'il a mises au point pour l'entraînement à la compassion. Pour ce qui est de l'entraînement mental portant à la fois sur l'attention et le contrôle des émotions, il devient également indispensable de savoir si oui ou non des techniques spécifiques ont une efficacité variable en fonction de la séquence de temps où on les applique, de telle sorte que de nouvelles méthodes pourraient être élaborées, pour coller étroitement aux besoins spécifiques liés à l'âge, à l'état de santé ou à d'autres facteurs variables.

Une certaine prudence reste néanmoins de mise. Inévitablement, lorsque deux traditions d'investigation aussi radicalement différentes que le bouddhisme et les neurosciences s'engagent conjointement dans un dialogue interdisciplinaire, cela suscite le genre de problèmes normalement associés aux échanges qui dépassent les frontières de la culture et de la discipline. Par exemple, quand nous parlons de « science de la méditation », nous devons être attentifs au sens exact que nous donnons à cette expression. Je crois qu'il est essentiel que les scientifiques soient vigilants quant aux diverses connotations, replacées dans leur contexte traditionnel, d'un terme important tel que celui de méditation. Par exemple, dans son contexte traditionnel, le mot correspondant à la méditation est *bhavana* en sanskrit, ou *gom* en tibétain. Le terme sanskrit véhicule la notion de culture, comme le fait de cultiver une habitude particulière ou une certaine manière d'être, alors que le mot tibétain suggère que l'on cultive une familiarité. Ainsi, pour le définir en bref, dans le contexte bouddhique traditionnel, le terme de méditation renvoie à une activité mentale délibérée impliquant de cultiver une familiarité, que ce soit avec un objet, un fait – un thème, une habitude, un point de vue, ou une manière d'être – de son choix. En gros, il existe deux catégories de pratique méditative, dont l'une est axée sur l'immobilisation de l'esprit et l'autre sur les processus cognitifs de la compréhension. On les désigne respectivement sous le terme de méditation stabilisatrice (pour la première) et méditation discursive (pour la seconde). Dans les deux cas, la méditation peut prendre de nombreuses formes différentes. Par exemple, cela peut consister à choisir quelque chose comme objet de connaissance de soi, comme lorsqu'on médite sur sa propre nature transitoire.

On peut aussi cultiver un état mental spécifique, tel que la compassion, en cultivant un désir altruiste, venu du fond du cœur, pour alléger les souffrances d'autrui. La méditation peut également s'appuyer sur l'imagination, en explorant le potentiel qu'a l'homme de générer une imagerie mentale, qui peut être utilisée de diverses manières pour cultiver le bien-être intérieur. Il est donc capital, lorsqu'on s'engage dans une recherche conjointe, de bien identifier la forme spécifique de méditation qu'on est en train d'étudier, de sorte que la complexité des pratiques méditatives explorées fasse écho à de la sophistication de la recherche scientifique.

Les scientifiques doivent aussi savoir faire preuve de recul dans un autre domaine, qui concerne l'aptitude à faire la différence entre les aspects empiriques de la pensée bouddhique et de la pratique contemplative, et les présupposés métaphysiques associés à ces pratiques méditatives. En d'autres termes, de même que, dans le cadre de l'approche scientifique, nous devons faire la distinction entre les hypothèses théoriques, l'observation empirique fondée sur des expériences et les interprétations qui en résultent, il est essentiel de faire une distinction entre les suppositions théoriques, les caractéristiques expérimentalement vérifiables des états mentaux et les interprétations philosophiques qu'en tire le bouddhisme. Ainsi, les deux parties impliquées dans le dialogue peuvent trouver ce terrain d'entente que sont les réalités empiriquement observables de l'esprit humain, sans céder pour autant à la tentation de réduire le cadre de l'une des disciplines aux dimensions de l'autre. Bien que, de l'une à l'autre de ces deux traditions d'investigation, il puisse y avoir des divergences au niveau des présupposés philosophiques et des interprétations conceptuelles qui en découlent, jusqu'à nouvel ordre, pour ce qui est des réalités empiriques, les faits seront toujours des faits, quelle que soit la manière dont on choisit de les décrire. Et quelle que soit l'ultime vérité quant à la nature de la conscience – la question étant de savoir si elle est oui ou non réductible à des processus matériels –, je crois qu'un partage est possible dans la compréhension des faits, expérimentalement avérés, relatifs à divers aspects de nos perceptions, de nos pensées et de nos émotions.

Ces considérations prudentes étant prises en compte, je crois qu'une étroite coopération entre ces deux traditions d'investigation peut véritablement contribuer à élargir la compréhension qu'ont les êtres humains de cet univers complexe d'expériences subjectives intérieures qu'on appelle l'esprit. Les bénéfices d'une telle collaboration sont déjà en passe d'être démontrés. D'après les rapports préliminaires, les effets de l'entraînement mental – comme un simple entraînement régulier de l'attention, ou l'exercice délibéré de la compassion telle qu'il est mis en pratique dans le bouddhisme –, qui provoquent dans le cerveau humain des changements observables liés à des états mentaux positifs, peuvent être mesurés. Des découvertes récentes en matière de neurosciences ont démontré la plasticité innée du cerveau, tant en termes de connexions synaptiques que d'apparition de nouveaux neurones, suite à l'exposition à des stimuli externes tels que des exercices physiques volontaires ou le contact avec un milieu ambiant plus riche. La tradition contemplative bouddhique peut contribuer à élargir ce champ d'investigation scientifique, en proposant des types d'entraînement mental qui puissent aussi entrer dans le champ de la neuroplasticité. S'il s'avère, comme l'implique la tradition bouddhique, que des exercices mentaux puissent déclencher dans le cerveau des changements synaptiques et neuronaux observables, cela pourrait avoir des implications d'une portée immense. Les répercussions d'une telle recherche ne se résumeront pas à l'élargissement de nos connaissances sur l'esprit humain, mais – et c'est peut-être le plus important – elles pourraient avoir un impact majeur sur notre approche de l'éducation et de la santé mentale. De même, ainsi que l'affirme la tradition bouddhique, la culture de l'exercice délibéré de la compassion peut conduire l'individu à un changement radical d'attitude, l'amenant à une plus grande empathie envers les autres, ce qui pourrait avoir d'énormes répercussions pour l'ensemble de la société.

Je crois, en définitive, que la collaboration entre les neurosciences et la tradition contemplative du bouddhisme pourrait jeter une lumière nouvelle sur une question d'importance vitale – celle du lien réciproque entre neurosciences et éthique. Abstraction faite de la conception que l'on peut avoir du rapport entre éthique et science, dans la pratique réelle, la science a évolué avant tout sous forme d'une discipline empirique, avec des positions moralement neutres et exemptes de tout jugement de valeur. On en est arrivé à la percevoir essentiellement comme un mode d'investigation permettant une connaissance détaillée du monde empirique et des lois de la nature qui sous-tendent ce monde. D'un point de vue strictement scientifique, l'invention des armes nucléaires est une prouesse vraiment extraordinaire. Cependant, en raison de l'ampleur inimaginable des souffrances, des morts et des destructions que cette invention est capable d'infliger, nous la considérons comme destructrice. C'est l'évaluation éthique qui doit déterminer ce qui est positif et ce qui est négatif. Jusqu'à une époque récente, l'approche consistant à cloisonner hermétiquement l'éthique et la science – avec pour sous-entendu que la capacité des hommes à penser en termes de morale évoluait parallèlement à leurs connaissances – semble avoir prévalu.

Aujourd'hui, je crois que l'humanité est à la croisée des chemins. Les avancées décisives réalisées vers la fin du XXe siècle dans le domaine des neurosciences, et particulièrement en génétique, ont ouvert une ère nouvelle dans l'histoire de l'humanité. Notre connaissance du cerveau et du corps humain au niveau cellulaire et génétique, avec les énormes possibilités techniques liées aux manipulations génétiques, a atteint un stade où ces avancées scientifiques constituent un immense défi sur le plan de l'éthique. Il est plus qu'évident que nos codes moraux n'ont tout simplement pas pu suivre le rythme extrêmement rapide de nos progrès en matière d'acquisition du savoir et du pouvoir. Pourtant les ramifications de ces nouvelles découvertes et leurs applications sont d'une telle portée qu'elles mettent en cause la conception même de la nature humaine et la préservation de l'espèce humaine. Il n'est donc plus acceptable aujourd'hui d'estimer que notre responsabilité en tant que société se résume à promouvoir le savoir scientifique et à conforter le pouvoir technologique, et de croire qu'il faudrait laisser à l'individu le choix de l'usage qu'il convient de faire de ce savoir et de ce pouvoir. Nous devons faire en sorte que les considérations humanitaires et éthiques fondamentales soient prises en compte dans l'orientation du développement scientifique, surtout dans le domaine des sciences de la vie. Si j'évoque les principes fondamentaux de l'éthique, ce n'est pas pour me faire l'avocat d'une fusion entre l'éthique religieuse et l'investigation scientifique. Ce dont je parle ici, c'est plutôt de ce que j'appelle une « éthique laïque », qui recouvre à la fois les principes clés de l'éthique, tels que la compassion, la tolérance, un sentiment d'affection et de considération envers autrui, et un usage responsable du savoir et du pouvoir – principes qui transcendent les barrières entre croyants et incroyants, et entre pratiquants de telle religion ou de telle autre. À titre personnel, j'aime me représenter toutes les activités humaines, y compris la science, comme les doigts d'une main. Tant que chacun de ces doigts sera relié à la paume qui n'est autre que l'empathie et l'altruisme fondamentaux propres à l'homme, ils continueront tous à œuvrer au bien-être de l'humanité.

Nous vivons vraiment au sein d'un seul et même monde. Que ce soit l'économie moderne, les médias électroniques, le tourisme international ou les problèmes environnementaux, tout nous rappelle quotidiennement à quel degré d'interconnexion le monde est aujourd'hui arrivé. Les communautés scientifiques jouent un rôle d'une importance vitale dans ce monde interconnecté. Quelles qu'en soient les raisons historiques, les scientifiques jouissent de nos jours d'un grand respect et d'une grande confiance au sein de la société, beaucoup plus que ce n'est le cas pour ma propre discipline – la philosophie et la religion. J'en appelle aux savants, afin qu'ils intègrent dans leur activité professionnelle les préceptes liés aux principes fondamentaux de l'éthique, que nous partageons tous en tant qu'êtres humains.

# Bibliographie

*Clarté de l'esprit, lumière du cœur*, Calmann-Lévy, 1995.
*Du bonheur de vivre et de mourir en paix*, Calmann-Lévy, 1998.
*Épanouir l'esprit et ouvrir son cœur à la bonté*, Dewatshang, 1998.
*La Voie de la liberté*, Calmann-Lévy, 2006.

\*

*The Buddhism of Tibet and the Key to the Middle Way*, HarperCollins, 1975.
*Cultivating a Daily Meditation*, The Library of Tibetan Works and Archives, 1991.
*Universal Responsibility and the Good Heart*, The Library of Tibetan Works and Archives, 1980.

Nous adressons tous nos remerciements aux bibliothèques et organismes qui nous ont autorisés à citer les textes du dalaï-lama dont ils détiennent les droits de publication, ainsi qu'au secrétariat de Sa Sainteté le dalaï-lama, pour divers articles et textes inédits.

# La Fondation pour la responsabilité universelle

*« La Fondation mettra en œuvre des projets destinés au bien-être de tous, en concentrant ses efforts sur l'aide à la diffusion de méthodes non violentes, sur l'amélioration de la communication entre religion et science, sur la mise en application des droits de l'homme et de la démocratie, et sur la préservation et la restauration de notre précieuse mère, la Terre. »*

SA SAINTETÉ LE DALAÏ-LAMA

La Fondation pour la responsabilité universelle de Sa Sainteté le dalaï-lama est une organisation sans but lucratif, non sectaire et areligieuse, fondée grâce au prix Nobel de la paix décerné au dalaï-lama en 1989. Dans l'esprit de la charte des Nations unies, la Fondation rassemble des hommes et des femmes de convictions, professions et nationalités diverses, au travers d'un large éventail d'initiatives et de collaborations croisées. La Fondation poursuit des objectifs universels et se situe au-delà de tout programme nationaliste et politique.

Sa mission est la suivante :

• Promouvoir la célébration de la diversité, l'esprit de responsabilité universelle et la compréhension de l'interdépendance entre croyances, fois et religions.

• Soutenir la transformation personnelle par des voies qui facilitent de plus larges processus de changements sociaux.

- Mettre en œuvre et soutenir les initiatives de paix et de coexistence dans les zones de conflits violents et d'agitation sociale.

- Encourager et cultiver la non-violence (*ahimsa*) en tant que principe moteur d'interaction entre les êtres humains et l'environnement au sein duquel ils évoluent.

- Proposer des paradigmes d'éducation globale et holistique donnant la priorité à un système d'apprentissage à base d'expérimentation, au dialogue interculturel et à une éthique de paix et de justice.

- Renforcer nos capacités en faveur de la résolution des conflits, de l'avancée des droits de l'homme et des libertés démocratiques, grâce à des partenariats avec des groupes en lien avec la société civile dans le monde entier.

- Explorer de nouvelles frontières quant à la compréhension de l'esprit, en lançant des passerelles entre science et spiritualité.

- Soutenir le développement professionnel des futurs leaders et décideurs grâce à des bourses et des partenariats éducatifs.

- Créer des supports médiatiques et des matériels éducatifs visant à promouvoir les objectifs de la Fondation.

# TABLE

## SUR LA VOIE DE L'ÉVEIL

Rassembler en un volume la quintessence du message du dalaï-lama, telle est l'ambition de cette anthologie.

Y figurent des textes abordant les fondements de son action : défense des droits de l'homme et responsabilité universelle – de chacun devant tous –, recherche d'un humanisme et d'une éthique séculière – à même de créer un lien solide entre tous les êtres –, nécessité du dialogue interreligieux…

Du discours de réception du prix Nobel 1989 à la conférence sur l'équanimité tenue en Inde en 2003, le lecteur y découvrira aussi l'enseignement du dalaï-lama sur la doctrine et la philosophie du bouddhisme, ainsi que ses conseils à ceux qui veulent s'engager dans une voie spirituelle…

Avant-propos de Fabrice Midal

ISBN 978-2-84592-230-3 / H 50-4782-4 / 264 pages / 14,95 €

# PRATIQUE DE LA SAGESSE

Développer le potentiel d'amour et de compassion que nous possédons tous pour dissiper la souffrance du monde : cette aspiration altruiste, qui est la voie du bodhisattva, repose en grande partie sur l'étude et la mise en pratique des écrits fondamentaux du bouddhisme.

En novembre 1993, Sa Sainteté le dalaï-lama a donné à Laveur, dans le Tarn, un enseignement sur l'un des textes fondateurs du bouddhisme tibétain, le chapitre IX de *La Marche vers l'éveil*, de Shantideva – moine, poète et philosophe indien du VIII<sup>e</sup> siècle.

Le dalaï-lama, en termes simples, nous éclaire sur la profondeur et la subtilité de ce magnifique poème. S'adressant à tous, il nous livre les clés de la pratique de la sagesse au quotidien.

ISBN 978-284592-172-6 / H 50-7585-8 / 216 pages / 16,95 €